그리고, 행복한 작가가 되었습니다

그리고, 행복한 작가가 되었습니다

박혜선 지음

걸음

논에 비친 산 그림자

산을 오른다
맨발로

제일 높은 봉우리
다녀간 표시로
꽂아둔 깃발처럼

푹,
아버지는 그 자리에
삽을 꽂아 놓았다.
— 동시집 『개구리 동네 게시판』 박혜선, 크레용하우스

땅은 일할 사람을 내치지 않는다. 논이든 밭이든 언제든 와
서 일하고 일한 만큼 따박따박 곡식을 월급으로 준다.
한평생 땅을 일구며 사신 아버지는 누구보다 일찍 출근하
고 누구보다 늦게 퇴근했다. 시키지 않아도 땅이 원하는 게 무

언지 찾아 일 했으며 땅에서 나는 모든 것들을 제 자식 돌보듯 살폈고. 볍씨 뿌리느라 자식 태어나는 것도 못 봤고 콩 타작 하느라 운동회도 못 갔으며 태풍에 쓰러진 벼 포기 세우느라 자식 열 오르내리는 것도 몰랐다. 평생을 논밭에서 산 아버지는 올 봄 퇴직을 했다. 뇌졸중으로 힘을 제대로 쓸 수 없는 아버지에게 삽을 꽂는 일이, 논둑을 다듬고 곡식을 키우는 일이 버겁다는 걸 땅도 알고 있었다. 땅은 퇴직금으로 밭둑에 핀 꽃다지한 무더기 내놓았다. 일 하느라 제대로 들은 적 없는 풀벌레 소리를, 풀 향기를 봄 들판에 좍 풀어놓았다.

— 어느 신문에 실은 글 —

그럼에도 아버지는 여전히 평생을 몸담은 직장 주변을 기웃거린다. 오토바이 대신 전동 휠체어를 타고 밭둑 길을 오가고 심어놓은 곡식들의 안부를 묻는다. 쌀 한 가마니의 무게도 아니, 삽자루의 무게도 팔 힘이 허락하지 않지만 여전히 쌀가마니를 들어 올리던 팔뚝의 기억과 삽자루를 잡은 손의 기억으로 땅을 떠나지 않았다. 땅은, 흙은 그렇게 여전히 아버지와 함께였다.

글도 그렇다. 쓰고자 달려드는 사람을 내치지 않는다. 쓰는 사람이 떠나지 않으면 평생 직장으로 이만한 게 없다. 퇴직을 강요하지도 않는다. 못 쓴다고 눈치를 주지도 않고 드문드문 쓰는지 마는지 게으름을 피워도 구박하지 않는다. 많이 썼다고 칭찬도 하지 않지만 그렇다고 평생을 끄적거려도 그냥 기다리고 지켜볼 뿐이다. 일할 수 있을 때까지, 일터를 내어주는 땅처럼 쓸 수 있을 때까지, 쓰고 싶을 때까지 업으로 삼으면 그뿐이다.

그러고 보면 시를 쓴다는 것, 글을 쓴다는 건 정년이 없어 참 좋은 직장이다. 가슴이 뛰는 순간까지, 그 일을 즐기며 살 수 있으니 참 괜찮은 일이다. 손가락 움직일 때까지, 아니 마지막 정신이 남아있을 때까지 쓰는 일을 놓지 않으면 되니 참 고마운 벗이다.

그 일에 빠져 사는 여섯 작가의 이야기를 담는다.

그들은 지금도 여전히 글 쓰는 일을 멈추지 않고 나아가고 있다. 때론 자신의 일에 절망하고 때론 자신의 일을 의심하며 그러면서도 쓰는 일에 하루하루를 보태고 있다.

그들은 언제부터 글 쓰는 일이 자신의 숙명이 되었을까? 하고많은 일 중 왜 글 쓰는 일을 택했을까? 그 일을 하면서

후회한 적은 없었을까? 그들의 글을 읽으며 이런 것들이 궁금해졌다.

그래서 적었다. 그들의 삶을, 그 삶을 들여다보며 알았다. 그들 중 누구도 쓰는 일만큼 잘하는 일이 없다는 걸.

이 글은 쓰는 일밖에 모르는 그들에게 가던 길 열심히 나아가라는 응원이다. 그리고 그 길 끝에서 스스로에게 이런 말을 해주었으면 좋겠다.

"그리고, 행복한 작가가 되었습니다."

차례

문영숙

참 열심히도 살아낸 삶,
참 치열하게도 그려낸 문학

1. 결핍, 혹은 부재가 주는 힘

결핍을 대하는 두 가지 방법이 있다. 하나는 결핍 자체를 부정하는 일이다. 그 자체를 숙명처럼 받아들이면 결핍이 주는 고통조차 삶의 일부가 된다. 다른 하나는 결핍을 인정하되 그것과 맞서는 자세이다. 그 과정 속에서 좌절이 따라붙을 수 있으나 동시에 극복도 함께 등장한다. 문영숙 작가는 2004년 중편 동화 「엄마의 날개」로 '푸른문학상'과 2005년 장편동화 『무덤 속의 그림』으로 '문학동네어린이문학상'을 받으며 동화작가로 등단했다. 1953년생인 그녀가 무엇 때문에 쉰이 훌쩍 넘은 나이에 작가라는 타이틀을 얻었을까? 그동안 무얼하다 이제야 아동청소년 작가가 되었을까? 의구심이 들 것이다.

여기, 어린 문영숙이 있다. 충청도 산골에서 태어난 문영숙, 그가 처음 몸을 누인 곳은 초가집을 아직 다 짓지 못해 임시 거처로 마련한 움막이었다. 울음소리로 세상과 첫 대면

한 그녀에게 추위와 가난이 먼저
다가선다. 한학을 학문의 전부라
고 생각한 아버지는 아들과 딸을
학교에 보내지 않고 집에서 손수
한문을 가르쳤다. 학교 문턱도 가
보지 못한 오빠는 아버지가 돌아
가시고 15살의 나이에 집배원이
되어, 소아마비로 몸이 불편한 어
머니와 어린 영숙을 책임지는 가
장이 되어야만 했다. 아버지의 부재는 깊은 가난과 오빠에게
큰 짐을 지웠지만, 어린 영숙에게는 학교라는 곳에 발을 들
이는 기회로 다가왔다. 문영숙은 자서전『늦게 핀 꽃이 더 아
름답다』에서 아버지가 더 오래 사셨으면 어쩌면 그나마 초
등학교도 다니지 못했을 것이라 했다. 10살의 나이에 1학년
으로 입학한 그녀는 키가 크고 목이 길어 사슴이라는 별명
을 얻었다. 누구보다도 총명하고 열성적인 아이로 선생님들
의 관심 속에 있었지만 가난은 그녀를 늘 주눅 들게 했다. 어
릴 때부터 글쓰기를 좋아한 그녀는 문예반에 들지만 백일장
글제로 '어머니'가 나오고는 백지를 내는 아픔도 함께 겪게
된다.
　그녀에게 어머니는 또 다른 아픔이었다. 자신이 없으면 바
늘귀도 꿰지 못하는 장애인이었으며, 물을 이고 나르는 일
도 버겁고 힘들어 늘 보살펴야하는 책임감이었으며, 친구들

앞에서는 숨겨야 할 초라하고 부끄러운 존재였다. 그러면서도 마음 한편에는 그렇게 생각하는 자신을 한없이 괴롭게 만드는 대상이었으며 그래서 미안하고 안쓰러운 존재였다. 훗날 고등학교에 입학할 기회가 주어지지만 그녀는 어머니를 위해 그렇게 배우고 싶었던 자신의 열망을 꾸욱 눌러놓는다. 몸이 자유롭지 못한 어머니의 손발을 택한 문영숙에게 어머니는 아픈 손가락이었다.

다섯 살 많은 오빠는 또 어떤가? 아버지의 빈자리를 채운 오빠는 어린 영숙에게 어렵고 무섭지만 든든한 버팀목이었다. 15살의 오빠가 가족의 생계를 위해 무거운 우편 가방을 들고 산길을 오르내릴 때 마음이 아팠지만 그럼에도 불구하고 오빠가 입은 제복은 영숙의 마음속에 자랑스러움으로 자리 잡고 친구들 앞에서 당당한 마음이 된다.

"우리 오빠 멋지지?"

살면서 내세울 것 하나 없었던 영숙은 하얀 모자를 쓴 집배원 오빠가 지나갈 때마다 가슴 밑바닥에서 뭉클함이 몰려오고 그 뭉클함은 한 집안의 가장으로서 책무를 다하는 오빠에 대한 존경의 마음이었을 것이다.

"너희 오빠 까만 운동화 말여. 다 빵꾸 났더라."

영숙의 마음은 가난으로 또 한 번 좌절당하고 구겨진 오빠의 체면을 세우는 일은 어찌 보면 영숙에게는 무너진 가계를 일으키는 일처럼 절박하고 엄숙한 일이었는지도 모를 일이다. 그의 단편 동화 「165원짜리 운동화」에서 어린 영숙이 오빠의 운동화를 사기 위해 얼마나 처절한 노력을 했는지 잘 알 수 있다.

억척쟁이로 소문난 이웃마을 수자가 찾아왔다.

"너 소문 들었니? 양조장에서 꼼방울(솔방울) 한 가마니에 7원씩 산대. 난 오늘부터 꼼방울 따서 팔려구. 너 나랑 같이 안 갈터?"

이게 무슨 소린가. 더 생각할 필요도 없었다. 한 가마니에 7원, 열 가마니면 70원, 스무 가마니면 140원, 나는 갓 배운 구구단으로 금방 계산을 뽑아냈다.

그날부터 학교에서 돌아오자마자 솔방울을 땄다. 솔잎이 사정없이 손등을 찔렀지만 줄무늬가 그려진 멋진 운동화를 신고 있을 오빠를 생각하면 그까짓 것 했다.

(…중략…)

아버지가 돌아가신 지 두 해째 가을이었다. 그렇게 모은 돈이 드디어 운동화 값을 넘어서는 날이었다. 나는 오빠 몰래 신발가게로 갔다. 솔방울 값을 주고 산 체크무늬 운동화를 보물처럼 안고 왔다. 하얀 끈을 엑스 자로 끼워 리본처럼 매듭지었다. 그리고 오빠가 오기만을 기다렸다.

— 『늦게 핀 꽃이 더 아름답다』(서울 셀렉션, 2018. 05) 중에서

그런 오빠가 불구의 어머니와 어린 영숙을 버리고 고향을 떠났다. 아버지 삼년상을 치르고 부조금을 몽땅 챙겨 도망간 것이다. 배신감을 느낄 겨를도 없이 어린 영숙은 오빠의 자리를 대신한다. 그 자리가 얼마나 지키기 힘든 자리인지 알면서도 무책임한 오빠를 원망했다.

그런데 오빠가 남긴 일기장에서 가족을 떠난 건 가족을 지키기 위해서였고 가장의 무게를 버린 것이 아니라 그 무게를 견디고 지킬 힘을 키우기 위해 떠났다는 걸 깨달았을 때 영숙은 오빠에 대한 연민으로 눈물을 흘린다.

문영숙의 가족사는 부재와 결핍의 연속으로 어린 오빠와 어린 영숙에게 끝없는 절망을 주었다. 그러나 부재는 대체되고 결핍은 전환된다. 문영숙에게서 특히 작가 문영숙에게 부재와 결핍은 오히려 조력자가 되어 그의 삶을 바꾸는 새로운 힘으로 작용한다.

2. 삶에 날개를 달다

어린 영숙은 살면서 수많은 조력자를 만난다. 단연 학교 선생님들이다. 영숙에게 선생님은 인생을 먼저 산 선험자들이다. 그들 또한 가난을 알고 그 가난 속에서도 배움이 얼마나 중요한가를 알기에 끊임없이 가난으로 포기되는 영숙의 삶을 일으켜 세우는 역할을 한다. 수학여행을 못가는 영숙에게 학급비를 찾아오라는 심부름을 시켜 당일 날 수학여행 버스를 타게 하는가 하면, 여비를 마련하기 위해 쌀자루를 들고 수학여행을 온 영숙을 위해 대신 그 쌀을 팔아주기도 한다. 등록금이 없어 학교를 포기해야하는 영숙에게 학교 구매부에서 쉬는 시간마다 문구를 팔아 근로 장학생이 되게 해주고, 고등학교를 갈 수 없는 영숙에게 추천서를 써 주는 선생님, 심지어는 검정고시의 감독을 나온 선생님조차 그녀에게 큰 도움을 준다.

문영숙에게 사람만한 재산이 없다는 건 그가 어른이 되고 만난 수많은 사람들에게서도 그대로 이어진다. 결혼 생활과 함께 숨 가쁘게 돌아가는 삶 속에서도 그녀는 배움에 대한 열망을 버릴 수가 없다. 그래서 몰래 대입 검정고시를 준비하고 당당히 합격한다. 딸아이와 함께 대학을 다니면서도 어느 것 하나 소홀함이 없다. 몸이 열 개, 천 개라도 부족한 시간을 살아가면서 또 다른 갈증에 목이 마른다.

'쓰고 싶다.'

처음부터 대단한 작가가 되겠다고 생각한 건 아니었다. 남편 뒷바라지에 아이들 둘을 키우는 것도 버거웠다. 게다가 시어머니는 치매를 앓고 있었고 하루 종일 돌봄이 필요했다. 눈 뜨면 아침이고 허리 누이면 밤이었지만 없는 시간에도 문영숙은 허전함을 느낀다. 어릴 때부터 부지런한 근성은 그대로였으며 늘 변화무쌍한 삶을 살아온 그녀에게서 반복되는 일상은 허기를 느끼기에 충분했을 것이다.

남편 몰래 대학을 다니고(문영숙의 말을 빌리면 남편은 '해가 지기 전 여자는 집안에 있어야 한다, 여자가 집밖으로 나다니는 걸 아주 싫어하는 18세기 황제처럼 가정에서 군림하는 성격이었다고 한다. 그런 남편을 속이기 위해 선의의 거짓말을 참 많이도 했다고 자서전『늦게 핀 꽃이 더 아름답다』에 밝히고 있다.) 집 가까이 있는 서예학원을 다닌다며 지필묵을 가방에 넣고, 사실은 문화센터에서 시를 배우러 다녔다고 한다. 무엇을 쓰겠다가 아니라 그냥 쓰는 것이 좋았던 문영숙은 시를 공부하고 수필을 공부하며 이곳저곳 떠돌다 자기가 가야할 문학의 길을 찾았으니 바로 아동청소년 소설을 쓰는 일이다.

문영숙을 다시 돌아보자. 그녀의 첫 등단작은 중편 동화「엄마의 날개」이다. 늘 집에서 살림만 하던 엄마가 가사 도우미로 취직하면서 사회생활을 하게 된다. 경제적 보탬이 되는 엄마의 취직을 처음에는 반기지만 점점 엄마가 없는 집안에서 불편한 일들이 벌어지고 이로 인해 엄마가 다시 예전 엄마로 돌아오기를 바란다. 그러나 엄마는 드디어 자신이 하고 싶은 일을 찾았다며 기뻐한다. 내가 하고 싶은 것이 뭔지도 모르고 그냥 엄마로서 살았던 자신의 삶에 드디어 자기를 발견한 것이다. 동화 속 엄마가 병자들을 보살피는 '간병인 교육'을 받고 그 일을 하고 싶다는 꿈을 품는 것과 같이 문영숙 또한 자신이 할 일을 찾은 것이다. 누구를 위해 살아온 인생에서 나를 발견한 그 자체가 어쩌면 새로 얻은 날개일 수 있다. 문영숙은 이 날개를 문학이라는 자리에 달아주었다.

그리고 힘찬 날갯짓을 할 힘을 보탠 새로운 조력자를 만나 방향을 찾기에 이른다. 문영숙이 '이학' 여사를 만난 건 어쩌면 수필에서 어린이청소년 소설로 방향을 바꾼 계기가 되었다. 서예가이며 자수가인 '이학'은 일흔여덟 나이에 문학을 공부하기 위해 숙명여대 평생 교육원을 찾는다.

"수는 밑그림을 보고 그림대로 수바늘을 쥐고 한 땀 한 땀 하다보면 자수가 됩니다. 서예는 스승의 체본 대로 글씨를 연습하다 보면 어느 땐가 자기 서체가 나옵니다. 그런데 문학은 그 밑그림도 없고 체본도 없습니다. 아무 것도 없는 무에서 탄생 시키는 게 문학 아닐까요."

문학을 배우기 위해 노구를 이끌고 교육생으로 앉아있는 '이학' 여사는 새내기 작가 문영숙에게 용기를 주었으며 앞으로 어떤 글을 써야하는지 그 방향을 잡아주기도 했다. '이학' 여사의 자서전을 도와준 인연이 되어 쓴 「궁녀 학이」 또한 없었을 것이며 역사 동화의 매력 또한 알지 못했을 것이다.

존 로크(John Locke, 1632~1704)는 '인간지성이론'에서 이렇게 물었다. '마음은 이성적 사유와 지식의 모든 재료를 어디서 손에 넣을 것인가?' 이 물음에 대한 답은 '경험'이다. 작가의 경험은 문학 속에서 이성적 사유와 결합된 상상력으로 발휘된다. 문영숙의 결핍과 부재는 누구보다도 풍성한 삶의 경험을 주었고 작가 문영숙에게는 더할 나위 없이 좋은 소재가 된 것이다. 치매 시어머니를 모신 경험은 동화『아기가 된 할아버지』와 논픽션『치매, 마음 안의 외딴 방 하나』를 탄

생시켰다. (움막에서의) 기이한 탄생을 시작으로 수많은 난관과 방해물을 만나는 영웅의 일대기처럼 문영숙의 삶 또한 그 과정 속에서 조력자들을 만나 드디어 자신에게 주어진 삶을 문학으로 연결시키는 치열함으로 당당한 삶의 주인공이 된다. 그가 살면서 겪은 모든 일(그것이 아픔이고 상처가 된 일이었더라도)과 모든 인연은 자신의 길을 가는데 이정표가 되고 가로등이 되었을 뿐 그 어떤 좌절도 그 어떤 비난도 하지 않았다.

3. 등장인물에서 자화상 찾기

인생의 변곡점은 어느 날 갑자기 오는 것 같지만 예견되고 기획된 일이라는 걸 문영숙을 통해 알게 된다.

문영숙은 어린이청소년소설 중에서도 그 소재를 역사에서 즐겨 찾는다. 어린 시절 그 어떤 과목보다도 역사를 좋아했다는 회고를 통해 역사적 관심이 높다는 걸 알 수 있지만 늦깎이 동화작가가 된 그녀에게 흔한 생활 동화는 오히려 어렵게 다가왔다. 따져보면 그녀 주변에 동화의 주인공이 될 만한 또래의 아이들이 없던 것도 사실이고 (그녀가 동화를 쓰기 시작할 무렵 그녀의 아들, 딸은 장성해 직장인이었다) 잘 알지도 못하면서 요즘 아이들의 삶을 기웃거린다는 것 또한 스스로 자신 없는 일이었다. 사실 첫 동화 당선작인 「엄마의 날개」 또한 자신을 모티브로 해서 쓴 이야기였다. 그러니 문영숙에게 동화 속 '아이'의 설정은 언제나 고민거리였다. 본인이 제일 좋아하고 잘 쓰는 이야기를 써보고 싶었던 그녀는 역사 쪽으로 관심을 돌린다. 그래서 그 시대의 '아이'를 작품 속 주인공으로 불러들인다.

그녀의 첫 역사장편 동화인『무덤 속 그림』을 살펴보자. 작품의 씨앗은 그해 신문에 연재된 고구려 사신도와 순장 제도에 관한 기획 기사를 읽으면서부터 시작된다. 무덤 속에 그림이 어떻게 그려졌을까? 그런 궁금증에서 그 시대를 배경으로 작품을 써보자는 생각을 하게 되고 그 때부터 고증이 될 만한 자료를 찾아 역사 공부에 빠져든다. 문학은 지나간 과거를 이야기하지만 그 과거 속에서 현재성을 놓쳐서는 안 된다. 그것을 너무나 잘 알고 있었던 작가는 악연이라는 흥미진진한 갈등 구조를 통해 그 악연을 현대적 방법으로 풀어내는 세련됨을 구사한다. 이야기의 흐름은 고구려 초기 순장으로 얽힌 가족사를 큰 줄기로 하고 있지만 그 속에 주인공은 마지막 순장자인 무두지 장군의 아들인 무연과 무두지 장군을 순장으로 은폐해 죽음에 이르게 한 공비추의 아들 '공탁'이다. 두 아이는 부모들의 관계를 모른 채 도화원에서 함께 만나게 되는데 모든 부분에 뛰어난 무연에게 시기와 질투를 느낀 공탁은 무연을 끊임없이 괴롭히고 그 과정 속에서 부모님의 죽음이 공탁의 아버지 공비추와 연결되어 있다는 것을 알 게 된다. 또 무덤 속 사신도를 그리는 과정 속에서 죽은 부모와 만나게 되고 연민과 그리움, 공탁에 대한 분노와 원망 또한 그림을 그리며 모두 비워낸다. 여기서 작가가 말하는 '용서와 화해'는 사신도를 통해 보여주며 '악을 악으로 끊으려 한다면 더 큰 악이 나를 괴롭게 만든다.'는 진리를 오늘 날을 살아가는 우리에게 전해준다.

　문영숙이 작품 속에 내세운 '무연'과 '공탁'은 어른들이 만든 악연의 굴레를 스스로 헤치고 나올 수 있는 힘을 부여해 성장한 모습을 보여줌으로서 극복과 개척형 어린이상을 그려내고 있다. 여기서 고구려의 무연은 부모의 얼굴도 모르며 산 채로 무덤 속에 묻힐 뻔한 생명이었다. 집이 없어 움막에 태어난 어린 문영숙과 일찍 돌아가신 아버지, 그리고 자신과 불구의 어머니를 버리고 도망친 오빠를 미워했지만 그런 오빠를 이해하고 오히려 가슴 아파한 문영숙의 모습이 주인공 무연의 모습 속에 비친다.

　일제의 강제 징용을 배경으로 하고 있는 『검은 바다』의 주인공 강제와 천석이 또한 개척형 인간상을 보여주고 있다.

　"느그 형이 저대로 끌려가다가 무슨 일을 당할지 걱정이 태산이다. 강재 니는 눈치도 빠르고 강단도 있으니 무슨 일이든 잘 버텨 낼끼구마."

　집안의 장손이라는 이유로 형을 대신해 일본으로 끌려간 어린 소년 '강재'는 어찌 보면 시대와 가족의 희생양으로 대변된다. 아버지와 어머니의 설득처럼 '눈치 빠르고 강단 있는' 자신은 형을 대신해 그런 삶을 사는 것이 당연하다고 받아들이는 모습은 어린 영숙이 오빠를 대신해 고등학교를 포기하고 소아마비 엄마를 돌보는 가장의 삶을 택한 것과 다르지 않다.

깊이를 알 수 없는 바다 밑 막장에서 강재와 천석 같은 아이들은 온종일 바다 속 탄광에서 채찍과 차별과 배고픔을 견디면서도 살아나가겠다는 절박함은 어쩌면 자신보다도 남은 가족에게 약속을 지키기 위함이었을 것이다. 강재의 죽음은 그의 가족에게는 자책이 될 수 있기 때문이라는 걸 어린 나이에도 알고 있다. 그래서 바다 밑 막장의 삶에서 절망하기보다는 막장을 탈출하겠다는 의지를 강하게 불태운다.

태평양 전쟁 당시 조세이[長生] 탄광의 생존자 김경봉 옹의 실제 경험담을 작품의 소재로 잡아 인터뷰와 철저한 자료 조사, 현지답사를 통해 작품을 구상한 문영숙의 글쓰기 태도 또한 그의 부지런하고 적극적인 성격의 한 면을 보여준다고 하겠다. 그러니 그가 재탄생 시킨 인물들은 어느 하나 놀고먹거나 현실에 안주하는 수동적인 삶을 살아가는 인물이 없다.

에네껜! 문영숙 작가를 떠올릴 때 함께 떠오르는 말이다. '에네껜(henequen)'은 용설란의 일종으로 더운 지방에서 자라는 식물이다. 1905년 천여 명의 조선 사람들이 아메리카 남쪽 '묵서가(멕시코)'라는 낯선 나라로 떠난다. 지긋지긋한 가난에서 벗어나기 위해, 돈을 벌게 해준다는 일본인 말에 속아 배를 탄 그들은 그곳의 어저귀 농장으로 팔려 가는데 그 어저귀가 에네껜이다. 아들에게 공부라도 시켜 인간답게 살 수 있기를 바라는 마음에서 배를 탄 덕배와 아버지, 정혼자의 죽음으로 신랑 없는 시집살이를 해야 하는 딸을 위해 배를 탄 황족, 감초영감네는 일하던 의원댁의 의원이 죽자 새로운 일자리를 찾아서, 봉삼이는 고아로 일본 순사에게 잡혀 감옥대신 이곳을 택한 각각의 사연을 가진 1,033명이 지금 보다 나은 세상을 꿈꾸며 도착한 그곳 묵서가는 나라 없는 백성이 노예로 살아갈 수밖에 없는 또 다른 식민지였다. 닷새 일하면 쌀 한 가마니를 살 수 있다는 광고에 속아 '일포 드 호'에 승선한 덕배 등은 에네껜 농장으로 팔려간다. 에네 껜을 수확하면서 가시에 몸을 찢긴 이들은 노예와 다름없는 고초를 겪으며 살아간다. 윤서가 농장 감독관에 의해 몸을 더럽히고 자살하며, 아기 엄마는 사탕수수 공장 기계에 치여 죽는 아픔을 견디면서도 그들은 묵묵히 자신의 책무를 다 한다. 계약 기간이 끝나면 조선으로 돌아가 사람답게 살고 싶다는 그들의 소박한 꿈은 외교권이 사라진 조선의 운명처럼 돌아갈 나라가 사라지고 그 속에서도 다시 서로를 위로하며 희망을 놓지 않는다. 덕배와 윤재는 차별 없는, 더불어 함께 살아가는 세상을 만들기 위해 학교를 세우고 그들의 후손들 에게는 이런 비극을 물려주지 말자는 다짐을 한다.

슬픈 근대사를 그리면서도 결코 절망적이지 않은 이 작품 속에서도 문영숙만의 개성이 살아난다.

문영숙이 만들어 낸 역사 속 인물은 물론 험난한 시대를 산 인물이기도 하지만 하나같이 자신에게 주어진 삶을 극복 하고 끊임없이 맞서 싸우는 인물이 대다수이다.(『벽란도의 비밀청자」에 주인공 도경 또한 당대 잘못된 사회 속에 맞서 싸우는 어린이로 설정되어있다.) 이는 작가의 가치관이 인물 속에 투영되었으며 다름 아닌 자신의 모습이기도 하다.

이 밖에도 문영숙은『꽃제비 영대』를 통해 남북 분단의 아픔을 껴안고 사는 꽃제비를 사실적으로 다루기 위해 탈북작가들을 만나 리얼리티가 생생한 청소년 탈북소설을 써낸다. 또한 압록강 탐사여행을 통해 느낀 북한의 헐벗은 산을 보며 단편「가락지 빵」을 발표했고 그 단편을 동화로 개작해서『개성빵』을 상재했다.

4. 삶이 문학을 이기다

문영숙의 자서전『늦게 핀 꽃이 더 아름답다』(서울 셀렉션, 2018.05)를 읽고 한참 동안 가슴이 먹먹했다. 그가 이룬 문학적 성취를 떠나 개인의 삶이 이토록 처연하고 그러면서도 이토록 아름다울 수 있을까? 편편이 눈물을 부르지만 그 눈물은 동정이나 측은함에 보태는 눈물이 아니라 그럼에도 불구하고 긍정과 희망에 보태는 눈물이다. 그리고 그 자서전을 덮으며 '작가가 될 수밖에 없는 삶이구나.'라고 읊조렸다.

문학이 삶으로부터 뿌리를 내린다지만 삶만큼 진솔하며 감동적일 수 있을까? 제 아무리 뛰어난 작가라도 삶처럼 치열하게 문학을 그려내지는 못할 것이다. 문영숙의 작품은 역사의 어느 시대를 담고 있지만 그 시대를 살아가는 또 다른 문영숙의 삶을 그려내고 있다. 가난하거나, 아픈 가족사거나 힘든 시절의 이야기지만 그 속에서 그것을 발판 삼아 뛰어오르는 희망을 이야기한다. 또 그 시대의 모든 것을 껴안고 이해하고 용서하며 아픔을 토닥거리는 속 깊은 인물들 또한 문영숙의 다른 얼굴이기도 하다.

스스로 제 2의 황금기를 누리고 있다는 문영숙은 눈코 뜰 새 없이 바쁜 나날을 보낸다. 현장을 뛰어다니며 자료와 고증을 통해 활달한 상상력을 펼치는 문영숙 특유의 글쓰기는 중앙아시아로 강제 이주 당한 고려인 이야기인『까레이스키, 끝없는 방랑』을 쓰고 시베리아횡단 열차 여행을 떠났을 때 새로운 이야기에 빠져든다. 우수리스크에서 '독립운동가 최재형'을 만난 것이다. 함경도 경원에서 노비의 아들로 태어난 최재형은 아홉 살에 먹고 살기 위해 가족과 함께 두만강을 넘고 그곳에서 러시아와 세계를 떠돌며 나라 없이 떠도는 조선인의 참극을 마주하게 된다. 최재형은 평생을 모은 돈으로 한인들의 대부로 '페치카'라 불릴 만큼 32개나 되는 한인학교를 세우고 항일운동을 위해 모든 지원을 아끼지 않고 특히 안중근의 하얼빈 의거를 직접 지원했지만 역사 그 어디에도 최재형에 대한 기록은 없었다. 이런 인물을 그냥 지나칠 수 없었던 문영숙은 최재형의 삶을 찾아 수없이 연해주를 오가며 드디어『잊혀진 독립운동의 대부 최재형』을 상재한다.

잊혀진 역사 속 한 인물을 찾아내는데 그치지 않고 그의 삶을 널리 알려 오늘을 사는 청소년들에게 삶의 주인공으로 살아간 최재형을 통해 자신의 위치를 돌아봤으면 하는 바람으로 독립운동가 최재형기념사업회 이사장과 안중근 홍보대사로 일하고 있는 코리안 디아스포라 작가 문영숙. 그의 다음 행보가 기다려지는 건 역사 속 어떤 인물이 그의 손에서 재창조 될 지에 대한 기대와, 삶은 또 얼마나 치열하고 열정적으로 살아갈 지 그 끝을 알 수 없기 때문이다.

— 《통일문학》, 2018, 창간호.

찔레꽃

점이가 토끼풀을 뜯던 날이었다. 찔레꽃 향기가 코끝으로 확 풍겼다. 가시덩굴 사이로 오동통한 찔레순이 곧게 올라와 있었다. 점이의 입에 군침이 감돌았다. 점이는 토끼풀 망태를 내려놓고 가시 사이로 살짝 손을 뻗었다.

"아얏!"

가시에 긁힌 점이 손등에 빨간 핏방울이 맺혔다.

"아이, 아파라."

점이는 상처가 난 손등을 호호 불었다.

등 뒤에서 굵은 목소리가 들렸다.

"비켜 봐! 내가 꺾어 줄 게."

언제 나타났는지 문두가 성큼 성큼 다가왔다. 문두가 거무 칙칙한 손을 쭉 뻗어 찔레 순을 꺾어 점이 앞에 내밀었다.

"야! 통통하다. 어서 먹어!"

그때였다. 덤불 속에서 스르르 종잇장 미끄러지는 소리가 났다.

"엄마야! 배, 뱀!"

점이가 기절할 듯 자지러졌다.

"어디? 어디!"

문두의 눈이 휘둥그레졌다.

"저, 저기!"

찔레덩굴 밑에 붉은 줄과 검은 줄이 알록달록한 능구렁이가 둥그렇게 틀었던 또아리를 풀면서 혀를 날름거렸다.

문두는 잽싸게 작대기를 휘둘렀다. 작대기 끝에 머리가 눌린 능구렁이가 꼬리부터 배배 뒤틀리기 시작했다.

"아이! 무서워!"

토끼풀 망태도 내버려두고 점이가 보리밭 이랑으로 도망쳤다.

"괜찮아. 이거 봐. 잡았어. 아주 큰 놈이야."

점이가 급히 도망치다 벗겨진 고무신을 주워들고 문두를 돌아다보았다.

문두가 뱀이든 자루를 점이에게 내 보였다. 뱀이 든 광목자루가 꿈틀거렸다.

"징그러워! 가까이 오지 마!"

"괜찮아. 자루 속에 있으니까 안전해. 이리 와. 찔레순 더 꺾어 줄게."

"싫어! 너나 실컷 먹어라!"

점이는 토끼풀도 뜯다 말고 집으로 내달렸다. 문두는 주근깨가 까무잡잡하게 돋은 뺨을 쓰윽 문지르며 뛰어가는 점이를 물끄러미 바라보았다.

  솜털같은 쑥을 다듬던 엄마가 빈 망태를 흔들어대며 마당
으로 들어서는 점이를 보며 물었다.
  "토끼풀 뜯다말고 왜 벌써 오능겨?"
  "엄마, 문두네 아버지 뱀 먹으면 폐병이 날 수 있대?"
  "고기를 못 사먹으니께. 뱀 고기가 여간 살지지 않대. 폐병
은 잘 먹어야 허는 디 고기를 살 돈이 없잖여."
  "그래두, 징그럽게 뱀을 어떻게 먹어?"
  "죽는 거 보담야 낫지 뭐. 그거라두 먹어서 낫기만 하면 좋
지. 그런디 왜? 갑자기 뱀을 본 겨?"
  "엄마! 나 이제 문두랑 나무하러 같이 안 다닐래. 징그럽게
뱀만 잡는 애는 싫어."
  "그래두 문두만한 효자 없어. 즈이 아버지 약한다구 그 어
린 게 무섭두 모르구 뱀만 보면 잡는 대잖어."
  "그래서 싫다니까! 에이, 문뎅이."
  문두랑 같은 학년인 점이는 언제나 문두를 심부름꾼 대하
듯 얕보았다. 점이 엄마는 늘 출랑대는 점이를 나무랐다.
  "문두가 아니면 나뭇단은 누가 묶어 줄 겨? 무거운 나뭇짐
은 누가 져주고?"
  "내가 하지 뭐!"
  "에구, 한참 놀기에 바쁠 어린것들이 무거운 나뭇짐을 져
야 하는 시상이 언제나 끝날라나. 에이, 쯧, 쯧."

점이 엄마가 쑥을 다듬던 앞치마를 한 쪽 손으로 탈탈 털며 일어났다. 소쿠리에 담은 쑥을 씻으러 샘으로 가는 점이 엄마의 왼쪽 발이 오른쪽 발을 힘겹게 따라가느라 땅에 지직지직 금이 그어졌다.

학교 가는 길은 문두네 마당으로 이어졌는데 점이는 날마다 그곳을 지날 때면 누가 쫓아오기라도 하듯 뛰어 다녔다. 마당 한 귀퉁이에는 조그만 화덕이 놓여있고 그 위에 꼭지가 달린 약탕관이 얹혀져 있었다. 창호지로 뚜껑을 덮은 약탕기 꼭지에서는 아지랑이처럼 김이 모락모락 피어올랐다. 점이는 금방이라도 그 꼭지에서 기다란 뱀들이 쉬익쉬익 혀를 낼름거리며 튀어나올 것 같았다.

문두 할머니는 허리가 기역자로 구부러졌는데 늘 쪼그리고 앉아서 약탕관에 부채질을 해댔다. 뱀탕이 끓고 있는 바깥마당을 지나 안마당으로 들어가면 네모난 댓돌이 놓여있고 그 위로 높은 대청마루가 있었다. 따뜻한 봄날이면 그 마루 옆쪽에 있는 방에서 긴 끈으로 만든 손잡이가 달린 문을 열어놓고 봄볕을 쬐는 문두 아버지가 보였다. 키가 커서 앉아있는데도 휘청거려 보였다. 퀭한 눈은 움푹 패어 보였는데 그 눈은 마당가에 있는 약탕기에 머물러 있었다. 그러다가 찬바람이라도 휙 불어오면 기다란 몸을 앞으로 숙이며 연신 콜록콜록 기침을 해댔다.

문두네 집 뒤로는 검푸른 대숲이 둘러쳐져 있었는데 그 때
문에 문두 아버지의 파리한 얼굴이 더 창백해 보였다.

문두 엄마는 문두를 낳다가 산후병을 얻어 돌아가셨다는
데 문두는 자기 엄마 얼굴도 기억하지 못할 만큼 어린 나이
에 엄마를 잃은 것이다.

새학기가 되자 문두는 4학년에서 5학년으로 올라가지 못
하고 학교를 그만두었다.

"엄마, 문두는 정말 문뎅이야. 4학년씩이나 다녔는데 한글
도 못 읽어. 지 고모한테 편지 왔는데 내가 다 읽어 줬어."

"그 어린 게 일하느라고 어디 학교엔들 제대로 다녔어야
지. 쯧쯧."

점이 엄마는 문두 얘기만 나오면 혀를 찼다.

"너, 토끼풀 더 뜯어 와야지!"

"이따가 문두가 뜯어 올 거야."

"다시는 문두랑 안 논다더니?"

점이 엄마가 점이에게 실눈을 흘겼다.

"우리 앙고라토끼한테 접붙이러 온댔어. 토끼풀이라도 뜯
어 와야지. 안 뜯어오면 안 해줄 거야."

점이는 토끼장 앞에서 손가락으로 앙고라토끼의 실룩거리
는 코를 간질였다. 토끼는 앞발을 들고 두 발로 서서 입을 오
물거리며 점이가 주는 칡넝쿨을 사각사각 뜯어 먹었다. 칡
잎새가 금세 토끼 입으로 사라졌다.

점이 엄마가 쑥을 넣고 수제비를 끓여 막 저녁을 먹고 있

는데 문두가 토끼를 안고 점이네 집 사립문을 밀었다.

"문두 밥 안 먹었으면 얼릉 와라. 쑥 내는 나도 어린 쑥이라 몸엔 좋을 겨."

"먹구 왔시유."

문두는 짧게 대답했다.

"기다려! 나 밥 먹을 때까지."

점이는 언제나 문두에게 명령하듯 쌀쌀맞게 굴었다. 점이 엄마가 걱정스럽게 물었다.

"느이 아부지는 좀 차도가 있다냐?"

"너무 늦었대유. 읍내 보건소에서 약은 타왔는디 잘 안 드는 대유."

문두의 대답엔 힘이 하나도 없었다.

점이가 숟가락을 놓고 일어나자마자 문두가 안고 온 토끼의 두 귀를 한 손으로 잡고 또 한손으로 엉덩이를 받쳐 들고는 앙고라가 있는 토끼장 앞으로 갔다.

"문두야, 이 문 좀 열어!"

문두가 문을 열자마자 문두네 토끼를 안으로 쑤욱 집어넣었다. 문두네 토끼가 구석으로 피하며 뒷발로 바닥을 탁탁 굴렀다. 점이네 앙고라토끼가 문두네 토끼의 뒤를 쫓아 토끼장 안을 뱅뱅 돌았다.

점이 엄마가 설거지를 하다가 토끼장을 들여다보는 점이에게 호통을 쳤다.

"점이 너 거기서 뭐혀? 여자애가 별걸 다 간섭 허네. 어서 이리 못 와?"

문두가 점이 등을 슬쩍 밀었다.

"넌 저기 가 있어. 내가 다 되면 꺼낼 게."

"너네 토끼새끼 낳으면 가장 큰 놈 우리 줘야 돼!"

점이가 두 눈을 동그랗게 뜨고 문두에게 말했다. 점이 엄마가 고개를 저으며 문두에게 말했다.

"새끼 낳거들랑 어서어서 키워서 니 아부지 몸보신이나 실컷 시켜 드려라."

"예."

"안 돼! 한 마리는 우리 줘야 돼. 암놈으루!"

점이는 고개를 쳐들고 문두에게 다짐을 받았다. 한참 만에 문두가 토끼를 꺼냈다.

"이제 그 퇴끼 홀몸이 아니니께 퇴끼풀도 부지런히 뜯어 멕여야겄다."

"예."

"우리 토끼풀도 뜯어다 줘야 돼!"

점이가 바가지 머리를 촐랑대며 문두 코앞에 또 다짐을 받아냈다.

"안녕히 계슈. 점이야, 나 갈 게."

문두가 사립문을 나가려는데 점이 엄마가 바가지에 데친 쑥을 담아내오며 말했다.

"문두야, 이거 할머니 갖다 드려라. 노인네가 입맛도 없으실 텐디."

문두가 토끼를 안고 한 손에 바가지를 들자 점이 엄마가 점이를 불렀다.

"점이야, 니가 같이 갔다 오렴."

"왜?"

"왜긴 왜여. 문두는 토끼를 안고 너는 쑥을 들고 가."

점이가 바가지를 낚아채듯 들고 어둑어둑한 비탈길을 내려갔다. 그때 윗마을에 사는 개구쟁이 둘이 아랫마을에서 돌아오다가 길 한가운데서 마주쳤다.

"에헤, 그림 좋은 걸. 에이, 문뎅이! 토끼 시집보냈냐? 점이가 신방차려 줬어? 히히."

개구쟁이들은 문두보다 한 학년 아래 아이들이었다. 그 애들은 윗마을에서도 말썽꾸러기로 소문난 애들이었다.

"우리 엄마한테 이른다!"

점이가 씩씩거리며 개구쟁이들을 노려보았다.

"그래. 그래. 일러라 일러! 절뚝발이 쫓아오면 도망가면 되지? 메롱! 얼레리 꼴레리 쟤네들은 연애한대요오. 연애한대요오!"

개구쟁이들이 낄낄대며 어둠 속으로 사라졌다.

"넌 왜 가만히 있니?"

점이가 문두에게 종주먹을 들이대며 쏘아붙였다. 문두가 대답이 없자 점이가 바가지를 문두에게 내밀었다.

"자, 이거 받아. 너처럼 용기도 없는 애랑 같이 다니기 싫어!"

문두가 토끼를 안은 손끝으로 바가지를 간신히 받아들었다. 점이는 오던 길을 되돌아 다람쥐처럼 쪼르르 뛰어갔다.

"다시는 너 하고 안 다닐 거야!"

어둠이 내리는 고샅길에 점이의 낭랑한 목소리가 울려 퍼졌다.

점이는 이튿날 학교 가는 길에 윗말 개구쟁이들을 또 만났다. 그런데 병호 입술이 부어 있었다. 웬일로 점이를 봐도 못 본 척 했다. 그 날 저녁, 문두 할머니가 빈 바가지를 들고 점이 엄마를 찾아왔다.

"문두한티 보내면 되지 뭐하러 일부러 오셨대유."

"못난 놈 겉으니라구. 애들이 놀리고 놀림도 당하는 거지. 글쎄 어제 저녁에 무슨 심사가 꼬였는지 윗마을 까정 가서 쌈질을 허구설랑은, 눈두덩이 부어서 하루 종일 방구들 귀신처럼 꼼짝 않고 있으니 원. 겨우 퇴끼풀만 뜯어 오구서 방에 틀어박혀 꼼짝도 안헌다니께."

"어이구, 문두가 누구랑 싸웠대유?"

"윗말 말썽꾸러기들이랑 싸웠는지 글쎄, 분풀이하러 갔던 눔이 걔들 형한테 도루 맞고 왔다니께."

문두할머니 말에 점이가 촐싹 나서서 물었다.

"할머니, 윗말 말썽쟁이들이라구요?"

"그려. 왜 밤중에 윗말까지 갔냐구 물었더니 저는 놀림 받어두 괜찮은디 점이를 놀리는 건 못 참겠다나 원. 문두가 점이를 남달리 생각허는 것 같어."

"예? 점이를 뭐라구 놀렸대유?"

"글세, 더 이상은 말을 안허네."

점이는 슬그머니 방으로 들어갔다. 그러나 방문은 반쯤 열어두었다.

"이상허지? 글쎄 점이를 놀렸다구 그 밤에 윗말까지 가서 때리지두 못허구 맞기는 왜 맞구 와! 아까는 부아가 나서 쫓아가서 혼쭐을 내줄려다가 그냥 참았구먼."

"애들이 다 그러면서 크는 거지유, 뭐. 그나저나 문두 할머니 힘드셔서 큰일이네유. 문두 말 들으니께 문두 아버지가 약발두 잘 안 받는다면서유?"

문두 할머니가 엄마의 말에 코를 팽 풀었다.

"어이구, 하늘두 무심허지. 젊은 목숨은 저러구 있구, 이 늙은이나 잡아갈 일이지."

"무신 말씀이래유? 할머니가 안 기시면 문두는 어쩌구유?"

"그려. 우리 불쌍헌 문두. 지 애비가 어서어서 일어나야 할텐디. 나 갈라네."

문두할머니가 꼬부랑허리에 종종 걸음으로 앞으로 넘어질 것처럼 비탈길을 내려갔다. 문두는 며칠 동안 점이네 토끼풀을 뜯어오지 못했다.

"엄마, 문두네 토끼말야. 새끼 가졌는데 토끼풀 못 먹으면 안 돼지?"

"그럼, 사람이나 짐승이나 잘 먹어야 튼실한 자손을 낳지."

"문두 많이 아픈가 봐. 아까 보니까 할머니가 토끼풀 뜯던 걸."

점이는 토끼장에 풀을 넣어주며 문두가 걱정이 되었다.

"니가 좀 뜯어다 주렴. 너 때문에 맞았다잖어? 여직 멍이 안 풀렸다더라. 멍 풀리는 디는 달걀루 문지르는 게 젤 인디."

"바보같이 누가 거기까지 가래? 에이, 문뎅이."

점이는 뒤뜰 닭장에서 살금살금 나와 토끼풀 망태를 집어 들었다. 암탉이 갑자기 꼭꼭 거렸다. 밭둑을 헤치며 씀바귀를 뜯던 점이가 문두네 마당으로 들어섰다. 문두 할머니가 마당가에서 여전히 부채질을 하고 있다가 점이를 보자 문두를 불렀다.

"문두야! 점이 왔다!"

점이는 웬지 불쑥 들어가기가 싫어 주춤거렸다.

"뭐 하느라구 안 나와! 점이 왔다니께. 문두야, 얼릉 나와 봐!"

문두할머니가 세 번이나 재촉을 한 다음에야 문두가 빼꼼이 얼굴을 내밀었다. 눈두덩이 시퍼랬다.

"토끼풀 뜯어 왔어. 새끼를 가졌는데 토끼가 굶으면 안 되잖아."

문두가 말없이 점이의 풀 망태를 받아들었다.

"이거…… . 멍든데 문지르면 빨리 낫는데."

점이는 문두 손에 따끈따끈한 달걀을 쥐어 주고 뒤돌아서 냅다 집으로 뛰어왔다.

"퇴끼풀 망태는 어디다 팽개치고 오는 거!"
점이는 엄마에게 대답도 없이 방으로 쏙 들어갔다.

한낮에 뻐꾸기가 울기 시작하면서 보릿고개는 절정으로
치달았다. 점이네도, 문두네도, 온 동네가 먹을 것이 모자랐
다. 먹거리로 가장 만만한 게 쑥이었다. 쑥은 개떡으로, 가루
옷을 입혀 쑥국으로, 허옇게 서리맞은 것 같은 쑥 버무리로,
그 조차도 배를 채우는데 넉넉하지 않았다.
　문두는 여전히 산자락 덤불 속을 뒤졌다. 문두네 마당에선
여전히 약탕관에 연기가 끊이지 않았다. 겨울잠 자고 나온
뱀들은 더러더러 문두의 손에 죽어 문두아버지의 영양보충
이 되었다. 문두는 부지런히 나무도 해 날랐다. 그래야 약탕
관에 불을 꺼뜨리지 않았다. 다리가 불편한 점이 엄마와 어
린 점이도 나뭇잎을 긁거나 삭정이를 주워 날랐다. 점이 힘
에 버거운 나뭇단은 문두가 지게를 지고 날라다 주었다.
　아까시꽃이 피기시작하자 문두와 점이는 자주 산에 머물
렀다. 어떤 날은 아까시꽃을 너무 많이 따 먹고 둘 다 어질머
리가 가라앉을 때까지 산자락에 아까시꽃 같은 웃음을 날리
곤 했다.

봄비가 부슬부슬 내리는 날이었다.
　점이 엄마는 아침부터 문두네 집으로 가기위해 부엌살림
을 한 아름 이고 서둘렀다.

"엄마, 어디 가는데?"

"문두 아버지가 돌아가셨대. 몹쓸 병이라서 전염이 된다나 뭐라나. 사람 죽은 집에 개미새끼 한 마리 기척도 없다니, 원."

"엄마는 괜찮아?"

점이는 만약에 엄마도 폐병쟁이가 된다면 뱀탕을 먹어야 할까 봐 덜컥 겁이 났다.

"인명은 재천인겨. 사람이 죽었는디 문두 할머니 혼자서 뭘 어떻게 할겨?"

"문두네는 친척도 없어?"

"친척은 친척이고, 이웃은 이웃인 겨. 이웃사촌이란 말두 있잖여. 넌 꼼짝 말구 집에 있어. 쑥버무리 해 놨으니께 배고 프면 먹어. 풀방구리처럼 쏘다니지 좀 말구."

"문두도 없는데 가긴 어딜 가?"

점이는 하루 종일 토끼장만 들락거렸다. 문두는 뭐하고 있을까. 이제 뱀은 그만 잡아도 되겠다 생각하니 문두네 마당을 지날 때 뛰지 않아도 될 것 같았다. 점이 엄마는 밤이 되어서야 돌아왔다.

"문두 아버지도 우리 아버지처럼 꽃상여 탄대?"

"글쎄다. 폐병이 전염병이라구, 상여를 못 내준다고 헌다는디. 어쩌다 그런 몹쓸 병이 걸려 가지구 죽어서까지 불쌍도 허지."

"그럼 어떻게 해?"

"무슨 수가 있겠지. 그나저나 너두 이제 문두한티 좀 따숩
게 굴어. 맨날 쏠치마냥 쏘아붙이지 말구. 너는 에미라두 있
잖어. 문두는 이제 다 늙은 할머니 뿐이잖여."
"문뎅이같이 아무것도 모르잖아."
"넌 뭘 알어? 문두가 기냥 참아주는 겨. 넌 여자애구 몸두
문두보다 약골이니께 바보처럼 그냥 봐줘서 그러는 겨."
"치이, 그래두."

이튿날 아침, 점이 엄마가 부엌에서 아침밥을 짓고 있을
때였다. 점이는 아궁이 앞에서 부지깽이를 들고 불장난을 치
고 있었다.
반쯤 열린 부엌 뒷문으로 웅성거리는 소리가 들렸다. 점이
가 문밖으로 나왔을 때 문두가 힘겹게 지게를 지고 올라오고
있었다. 지게에 돌돌 말아진 명석이 가로로 누워있었다. 문
두 할머니가 문두가 지고 가는 지게를 붙잡고 꺼이꺼이 울며
따라가고 있었다. 점이의 나뭇단을 져 나르던 지게에 문두아
버지가 명석에 말려 공동묘지로 가는 중이었다. 점이는 처음
으로 문두가 불쌍해보였다.

문두는 자기 아버지 장례를 치른 후부터 뱀을 잡지 않았
다. 웬일인지 점이네 집에도 가끔 가끔 왔다.
뻐꾸기가 울던 날 문두네 토끼가 새끼를 낳았다며 문두가
찾아왔다. 점이는 문두와 함께 토끼 새끼를 보러 갔다. 꼬물

꼬물 털도 없는 새끼들이 어미토끼 젖을 빨고 있었다.

"너무 가까이 들여다보면 안 돼. 이제 그만 봐. 토끼들은 낯가림이 심해서 불안하면 제 새끼들을 다 없애버린대."

"응, 알았어."

점이는 처음으로 문두의 말에 고분고분 대답했다. 집으로 오는데 문두가 한참동안 점이를 따라왔다. 길가에 찔레꽃이 흐드러지게 피어 있었다. 문두가 노란 꽃술이 아주 진한 꽃 송이를 조심조심 땄다.

점이는 집에 오자마자 엄마에게 말했다.

"엄마, 문두네 토끼가 새끼를 낳았대. 나, 문두한테 새끼 한 마리 받기로 한 거 싫다고 했어."

"왜?"

"그냥, 문두가 다 키워서 팔면 돈이 더 생기잖아. 그리고 이제 토끼풀도 그만 뜯어오라고 했어."

점이가 머리핀에 찔레꽃을 꽂고 호들갑을 떨었다.

"머리에 웬 찔레꽃이냐?"

"응, 이거? 문두가 꺾어서 꽂아 줬어."

배시시 웃는 점이 얼굴이 찔레꽃 가운데 노란 꽃술처럼 환했다.

—《시와동화》, 2006, 봄.

1953년 충남 서산 팔봉산 밑에서 태어남. 다섯 살 위인 오빠(아들)는
호적을 제대로 올렸으나 나(딸)는 4년이나 늦게 올려 호적
나이는 네 살 젊음.

1962년 한학을 고집하던 아버지가 돌아가시자마자 10살에 초등학
교 입학.
문맹률이 높았던 고향동네에서 3학년 때부터 이웃들의 편지
를 읽어주고 편지를 써 주면서 사람 사는 이야기를 스토리로
만드는 훈련 시작.

1963년 초등학교 2학년 때 매주 토요일마다 반에서 착한 일을 많이
한 학생 한 명을 뽑아 상으로 학용품을 주었는데 그 상은 항
상 내가 탔음. 내 발표 순서가 오면 언제나 녹음기를 튼 것처
럼 "나는 밥을 하고 우물에 가서 물을 긷고, 산에 가서 나무
를 했습니다." 라고 말했기 때문에 친구들이 내 차례가 오면
자기들이 먼저 암송시처럼 내가 할 말을 다 해버려서 토요일
마다 창피하고 속이 상했음.

1964년 일기를 쓰기 시작. 매월 일기를 검사하는 날이 되면 담임선
생님이 일기장에 편지를 써 줬고 그 일기장 편지에 위로를
받고 희망을 꿈꾸었음. 내 일기장에는 나무를 했다, 배추를
심었다, 고구마를 캤다, 보리를 베었다, 물을 길어왔다 등등,
어른들이 하는 일들이 대부분이라 나를 애잔하게 여긴 담임
이 일기장에 빨간 펜글씨로 항상 일기장 편지를 써 주었는데
'링컨은 통나무집에서 자랐지만 미국의 16대 대통령이 되었
단다. 가난하다고 용기 잃지 말고 열심히 공부해서 꼭 훌륭

한 사람이 되어라' 등 용기와 꿈을 심어주는 내용이었음. 해
마다 방학과제물 심사에서는 내 일기장이 가장 두꺼웠고 그
때문에 항상 상을 받았음. (그때는 일기장을 전부 묶어서 제출했음)

1968년 읍내 중학교에 갈 형편이 못되어 새로 생긴 고등공민학교에
학교장 추천 장학생으로 입학. 3년 동안 중학과정을 공부하
고 고입검정고시를 봤는데 전교에서 유일하게 전과목 합격
을 했으나 학비가 없어 나라에서 공짜로 공부를 시켜주는 기
숙사가 딸린 학교에 가야 했으나 몸이 불편한 어머니를 혼자
둘 수 없어 고등학교에 진학을 못함.

1971년 17년 동안 나를 키워준 고향을 떠나 서울진입. 직장 생활 내
내 배움의 갈증에 허덕임.

1978년 결혼하자마자 맏며느리로 시부모 모시며 남매를 키움.

1989년 시아버님이 돌아가시자마자 7년 동안 치매 시어머니 간병.

1999년 시어머님이 돌아가신 후 딸과 아들 대학에 보내고 KBS 문
화센터에서 시창작 공부.
문학시대에 시 「거미」외 9편으로 등단.

2000년 시에 이어 배움의 갈증을 글로 분출하듯 쓴 수필 중에서 「바
람의 얼굴」로《월간문학》신인상.

2002년 대입검정고시 준비를 위해 집에서 교재만 사다가 식구들 몰
래 도둑공부를 한 지 6개월 만에 대학입학자격 검정고시 합
격. 2003년에 방통대에 입학하려고 했으나 그해 제주고등
학교 야간고등학교에 다니는 문우가 자신이 졸업할 때까지
1년만 기다렸다가 함께 방통대에 입학하자고 졸라서 친구를
위해 방통대 입학을 1년 뒤로 미룸.

2003년 푸른책들에서 개설한 '동화창작아카데미'에서 이금이 작가로
부터 동화창작을 배우고 후반전 인생을 풍요롭게 해주는 문
학동인 '화기애애' 문우들을 만남.

2004년 32년 동안 주렸던 학력 콤플렉스를 벗고 방송통신대학교 국문학과에 입학. 드디어 대학생이 됨. (제주에 살던 문우는 1학기를 마치고 여름방학 때 교통사고로 사망) 치매 시어머님을 모신 간병일기 「어느 며느리의 치매 7년 간병기」가 제40회 신동아 논픽션에 당선. 같은 해 중편 동화 「엄마의 날개」가 푸른문학상에 당선되어 연이어 작가로 인정을 받음.

2005년 제6회 문학동네 어린이문학상에 장편동화 두 편을 응모, 두 편 모두 최종심에 오름. 두 편 중 『무덤속의 그림』이 당선. 같은 해 문학동네에서 첫 책으로 출간.

2007년 문학동네 어린이문학상 최종심에 올랐던 장편동화 『아기가 된 할아버지』(푸른책들) 출간.

2008년 숙명여자대학교 평생교육원에서 만난 이학여사의 자서전 '황진이가 되고 싶었던 여인'을 써 준 계기로 이학여사의 후처 할머니인 궁녀이야기를 바탕으로 쓴 장편역사동화 『궁녀학이』(문학동네) 출간.

2009년 멕시코로 팔려 간 기민의 이야기 청소년 소설 『에네껜 아이들』(푸른책들) 출간.

2010년 아동청소년 부분에서 최초로 강제징용을 다룬 역사동화 『검은 바다』(문학동네) 출간.

2011년 치매 간병에세이 『치매 마음 안에 외딴 방 하나』와 동화 『첫눈』 출간. 이주노동자 부모를 둔 몽골소녀 이야기 동화 『색동저고리』(크레용하우스) 출간.

2012년 고려인강제이주를 소재로 한 청소년 소설 『까레이스키 끝없는 방랑』(푸른책들) 출간.

2013년 탈북소년의 이야기 청소년 소설 『꽃제비 영대』(서울셀렉션) 영문판과 함께 출간, 탈북 소년을 소재로 한 동화 『개성빵』(아이앤북) 출간.

2014년 장편 역사동화 『벽란도의 비밀청자』로 서울문화재단 창작기

금 받아 출간(문학동네). 청소년소설『독립운동가 최재형』(서울
셀렉션) 출간. 강연 100도씨 실화 에세이 『나의 왼손』(세시 출
판사) 출간.

2015년 파독광부와 간호사 이야기를 녹여 낸 청소년 소설『글뤽아우
프, 독일로 간 광부』(서울셀렉션) 출간, 같은 해 장편 동화『뻐
꾸기 아이들』(아이앤북) 출간.

2016년 위안부 청소년 소설『그래도 나는 피었습니다』(서울셀렉션) 출
간.

2017년 안중근아카데미를 수료하고 최재형과 안중근의 관계를 제대
로 밝히기 위해 소설『안중근의 마지막 유언』(서울셀렉션) 출
간.
1월부터 12월까지 〈잊혀진 독립운동의 대부, 최재형〉 국방
일보 연재 총 49회.

2019년 1월 3일부터 18일까지 임정수립 백년특집 〈임정루트를 가
다〉 중앙일보 총 5회 연재 함.
6월 대통령직속 3·1운동 및 대한민국임시정부수립100주
년기념사업추친위원회 위원단과 중앙아시아순방.
임시정부수립 100주년을 맞아 김월배 교수와 중국내 임시
정부 유적지 전체를 10박 11일간 답사하여 쓴 논픽션『사건
과 인물로 본 임시정부 100년』(서울셀렉션) 출간.
8월 위안부소설『그래도 나는 피었습니다』(서울셀렉션) 영문
판『TRAMPLED BLOSSOMS』(서울셀렉션) 출간.
첫 번째 그림책 옛이야기『꽁꽁 가둬 둔 이야기 귀신』(아이앤
북) 출간에 이어 위안부를 소재로 한 두 번째 그림책『박꽃이
피었습니다』(위즈덤하우스) 출간.

2020년 안중근 유해찾기 전문 연구위원 김월배교수와 함께 김교수
의 고향 안면도의 역사와 아름다운 안면도의 풍광을 녹여 넌
픽션『안면도의 역사를 묻다』(서울셀렉션) 출간.

국방일보에 1년 동안 49회로 연재했던 『잊혀진 독립운동의 대부 최재형』(우리나비)이 자료사진을 곁들인 논픽션으로 출간되었고 한국전쟁 70주년을 맞아 인민군 소년병의 수기를 바탕으로 쓴 청소년 소설 『나의 할아버지, 인민군 소년병』(서울셀렉션) 출간.

현재 ~ 내가 쓴 책들이 붙여준 별칭 '디아스포라 작가'로 살면서 2015년부터 러시아 연해주 항일 독립운동의 대부 최재형을 선양하며 고려인 학생들에게 장학금을 주고 있는 사단법인 독립운동가최재형기념사업회 홍보대사와 상임이사를 거쳐 2019년부터 이사장으로 활동하면서 저술활동 중.

송명원

느티나무 아래 상추 씻는 풍경

취미는 책 읽기. 특기는 글쓰기. 아니 취미가 글쓰기? 특기가 책 읽기? 뭐가 취미고 뭐가 특기인지는 모르겠지만 그는 책만 펴면 행복하고 무슨 글이든 쓰고 있는 그 순간을 즐기고 사랑한다. 아이들처럼 그도 여름방학, 겨울 방학을 좋아하는데 늦잠을 자고 싶어서? 아니다. 방학이 되어도 학교 가듯 일찍 일어나 일곱 시에 문을 여는 집 앞 빵집으로 출근을 한다. 이 일은 토요일 일요일에도 반복된다. 책을 읽고 글을 쓰는, 오롯이 자신을 위한 두 시간의 아침 시간, 잠

과 바꾼 그 시간이 제일 좋다는 그는 집으로 돌아오면 세 아이의 아빠가 되고 학교에 가면 21명 아이들의 선생님이 되어 정신없이 하루를 시작한다.

　내가 그를 만난 건 상암동 출판문화진흥원에서 주최한 2009년 초등교사 직무 연수에서 선생님과 강사

로 만났다. 넓은 강의실을 가득 채운 선생님들 사이에 유독 눈에 띄었던 건 혼자 남자 선생님이셨기 때문이다. 글쓰기 지도 관련 강의였는데 쉬는 시간에 그가 나를 찾아왔다.

"저, 저는 경북 봉화에서 아이들을 가르치고 있는 데요, 혹시 저희 학교 아이들 시 쓰기 강연 한 번 해 주실 수 있는지…."

"아, 네."

머리를 긁적이며 경상도 사투리로 말을 잇는데 왜 그리 웃음이 나오던지, 벌어지는 입술에 힘을 꽉 주며 웃음을 참고 있었다.

"산골 작은 학교라서 전교생이 몇 명 안 되는데……."

마알간 송아지 눈을 하고 수줍은 표정으로 사투리를 섞어 가며 말하는 그의 모습에 간신히 참은 웃음은 산골 작은 학교라는 말에 입술 힘이 풀리면서 저절로 입 꼬리가 올라갔다. 너무 좋아 흥분한 내 모습을 들키고 만 것이다.

그 해 10월에 처음으로 선생님이 있는 봉화 소천초등학교를 찾아갔고, 그 다음 해 7월에 나는 또 다시 그를 만날 수 있는 기회가 생겼다.

"선생님, 정말 죄송한데요. 저희 학교에 한 번 더 와 주실 수 있을까요? 봉화에서 제일 오지에 있는 분교인데 학생들이 다섯 밖에 안 되어서……."

"분교요?"

분교! 말이 주는 로망 같은 것이 있잖은가. 내 꿈이 분교 선생님이 되는 것이었다. 꿈이라서 그냥 꿈으로 담고 살지만 그 꿈같은 일을 하고 계신 선생님이 지금 그곳으로 나를 초대하고 있었다.

"일단 시간 한 번 맞춰보겠습니다."

맞춰보긴 뭘, 없으면 만들어서라도 가야지. 겉으로는 그렇게 말했지만 속으로는 만세를 불렀다. 그렇게 그해 7월, 소천초등학교 남회룡분교로 그를 다시 찾아갔다.

그날 교문 앞에서 본 풍경을 지금도 잊지 못한다. 운동장을 가운데 두고 정면으로 1층짜리 아담한 교사가 있고 오른쪽으로 운동장 울타리 너머 집 한 채가 있었다. 왼쪽으로 단층의 작은 집 한 채가 있었는데 교사 사택이라고 했다. 사택과 교사 사이에는 큰 느티나무가 있었고 그 느티나무 사이로 산으로 이어진 오솔길이 있었다. '분교'라는 이름에 딱 맞는 소박하고 아담한 풍경. 그런데 교사 지붕 위에서 망치를 들고 지붕을 고치고 있는 누군가가 보였다. 학교 일을 돌보는 주무관님이라고 했다.

"아!"

순간 머리를 스치는 어떤 영화의 한 장면, 맞다. 영화 '선생 김봉두.' 이어 나타난 다섯 아이들과 키에 비해 좀 짧은 바지, 고동색 슬리퍼를 신고 여전히 그 마알간 송아지 눈으로 수줍게 나를 반기는 그, 바로 송명원 선생님이다. (송명원 선생님을 알고부터 나는 '선생님'이라는 단어를 들으면 바로 '송명원'이 떠오르고 그 이름을 떠올리면 저절로 '존경'이라는 단어가 함께 붙어 떨어지지 않는다.)

이토록 소박한 학교에 이토록 잘 어울리는 캐릭터들은 없으리라 감탄하고 감탄했다.

자, 다시 남회룡분교의 풍경을 떠올려보자.

운동장 왼쪽 사택, 이곳에서 송명원 선생님이 3월부터 머물렀다고 한다.

"책을 많이 읽었어요. 밤도 길고 무섭기도 하고 그래서 책에 빠져 살았어요."

이곳에서의 생활이 지금 선생님의 문학적 자양분이 되었음은 당연하다. 읽다보니 쓰고 싶고, 쓰다 보니 오늘의 송명원 시인이 되었기 때문이다. 아직 등장하지 않은 또 한 분의 주인공. 바로 느티나무 아래서 상추를 씻고 있던 정이동 선생님이다. 수업이 끝나고 운동장에 남아 축구하는 아이들을 향해 씻고 있던 상추를 흔들며 심판을 보던 선생님의 흐뭇한 웃음까지(그 상추로 뭘 먹었는지는 기억나지 않지만) 나는 아직도 그 눈물 나도록 아름다운 풍경을 잊을 수가 없다. 그리고 운동장 오른 쪽에 있는 집 한 채, 이곳은 학교를 들어섰을 때 지붕을 고치고 있던, 앞에서 잠깐 등장한, 그러나 강렬한 시작을 알리던 남용욱 주무관님의 집이다. 이 학교 아이들은 이곳에서 급식을 먹는다. 송명원 선생님의 글에도 나오지만 남주무관님의 어머니가 차려주는 집 밥을 나도 두세 번이나 얻어먹었다. 두레상에 둘러앉아 아이들과 함께 먹던 점심밥. 그 밥처럼 이곳 풍경은 따뜻하고 소박하다. 그 가운데 송명원 선생님이 서있다.

그렇게 그를 따라 나는 해마다 그가 있는 학교로 강연을 갔다. 남회룡분교를 시작으로 물야초 북지분교, 수식분교, 소천초 분천분교…. 나는 그 인연으로 지금도 한결이, 한샘이, 누리, 성규, 민선이, 현정이, 영광이, 민섭이, 성일이, 청일이, 본희, 진한이, 성지…. 그 이름을 기억하고 그들의 안부를 묻곤 한다.

"성규가 취직을 했어요. 정말 잘 됐어요. 성규 할머니가 아주 좋아해요."

"지금 추천서 쓰고 있어요. 민선이 꿈장학금이라도 받게 하려고."

"선생님, 서울에 일러스트학원 같은 데 좀 알아봐주실 수 있어요? 누리 말이에요. 그림에 아주 뛰어나요. 누리가 전문적으로 좀 배워봤으면 해서요."

"대학 방학했다고 현정이가 빵 사들고 인사 왔어요. 이런 거 받으면 안 되는데 기특하잖아요. 그래서 우리 반 아들 나나주면서 자랑했어요. 선생님 제자가 사온거라고."

"선생님, 김 좋아하세요? 진짜 맛있는 누리네 김인데 오늘 봉화 장날이라 누리 아버님도 뵐겸 있다 김 사러 갈 낀데. 서울 올라갈 때 선생님 맛 보여드릴 게요."

나는 송명원 선생님을 존경한다. 그가 선생님이어서 참 다행이라고 생각한다. 그가 산골 분교 선생님이어서 더 다행이고 그가 시를 쓰는 시인이어서 더더 다행이고 마음이 놓인다.

그가 만난 아이들과 그곳 사람들의 이야기가 책으로 나온다. 나는 그를 좋아하는 만큼 그의 시를 좋아하고 그의 글을 좋아한다. 어떤 날은 시를 쓰고, 어떤 날은 독서 강연 원고를 쓰고, 또 어떤 날은 대학 간 제자가 아르바이트하는 닭갈비집 사장님께 잘 부탁한다는 편지를 쓰고 또 어떤 날은 장학재단에 제자의 추천서를 쓴다. 그가 쓰는 글은 시든 추천서든 편지든 강연 자료든 혹은 그가 만난 사람들의 이야기든 그 속에 송명원만의 냄새가 있다. 나는 그 냄새를 좋아한다. 느티나무 아래 상추 씻는 풍경처럼 소박하지만 아름다운 그의 글을 많은 사람들이 함께 읽었으면 좋겠다.

—『너희들의 봄이 궁금하다』, 송명원, 브로콜리숲, 2019.

여름 방학 계획

축구하고
달리기하고
줄넘기하고
흙장난하던 아이들
내일부터 안 올 건데
운동장아, 넌 뭐 할 거니?

응, 이제
풀꽃을 피워 보려고.

폐현수막

> 황금알을 낳는 황금동 아파트
> 잔여분양 선착순 바로 입주 가능

새로 지은 아파트를
광고하던 현수막이

산 중턱 콩밭 고구마밭
둘레에 걸렸다.

스키장에 집을 빼앗긴
너구리 오소리 족제비

펜션 만든다고 쫓겨난
멧돼지 고라니 토끼

어제 보고 가더니
오늘 또 왔다.

순대국밥

오늘 같은 명절날 국밥을 팔면 얼매나 팔겠노
오랜만에 온 자슥들 손주들 얼굴 쪼매 더 보는게 낫제
그런데 집에 있으면 계속 신경이 쓰여 맘이 안 편혀
밥 묵으러 왔다가 그냥 돌아가는 사람이 있을까봐
오늘 같은 명절날 우리 가게 오는 사람들은 혼자 밥 먹으
러 오는 사람들이거덩
어디 갈 데 없는 사람들이여
그 사람들 배라도 든든하게 채워서 보내면 좋잖여
그래서 차례만 지내고 후다닥 나와서 문 여는 거여

┃ 송명원 연보 ┃

1977년 경북 성주에서 태어남.

1982년 초등학교 교사인 아버지를 따라 산골 학교 사택에서 생활한 기억이 있음. 봉소초등학교 달밭분교(1학급) 1학년에 입학한 형의 담임 선생님이 아버지여서 나도 입학하면 아버지에게 배울 거라고 생각함.

1985년 2학년이었던 11월, 산골을 떠나 대구로 전학함.

1986년 처음으로 명랑소설을 읽고 책의 재미에 푹 빠짐. 돈만 생기면 동네서점을 들락거리며 명랑소설 시리즈를 수집함. 그 때 읽은 『별난국민학교』의 방동강 선생님은 지금도 교직 생활의 롤모델로 남아있음.

2004년 임길택 선생님 책을 읽고 감동하여 강원도 사북에서 가까운 경북 봉화에 지원해서 첫 발령을 받아 교직생활을 시작함.

2005년 독서연수에 참여하여 응모한 이벤트에 우연히 당첨이 되어 채인선 동화작가를 초청, 처음으로 작가와의 만남을 진행함. 작가와의 만남을 매년 진행해보겠다는 목표를 세움.

2008년 분천분교에서 꿈에 그리던 첫 분교 생활을 함.

2010년 남회룡분교의 허름한 사택에서 생활하며 밤마다 동시를 끄적이고는 혼자 좋아함. 박혜선, 정란희 작가를 초청하여 전교생 5명을 위한 작가와의 만남의 시간을 가짐.

2011년 북지분교에서 제9회 푸른문학상 새로운 시인상을 받으며 등단함. 분교 앞에 한 달 동안 현수막이 걸렸음. 시상식에서 책으로만 보던 작가들을 만났는데 엄청 신기했음. 내 이름과 글이 실린 책 『향기 엘리베이터』(푸른책들, 공저) 출간.

2013년 북지분교에서 어린이시집 『내 입은 불량 입』(크레용하우스) 엮음.

2016년 분천분교에서 첫 동시집 『짜장면 먹는 날』(크레용하우스) 출간.

2017년 사북에서 열리는 임길택 문화제에서 임길택 선생님께 쓴 편지를 낭독하고 임길택 선생님 사모님을 뵙는 영광을 누렸음.

2018년 두음분교에서 자연놀이동시집 『오늘은 무슨 놀이할까?』(크레용하우스, 공저) 출간.
두음분교에서 동시집 『보리 나가신다』(열린어린이) 출간, 문학나눔 도서에 선정됨.

2019년 인성 동시집 『똑. 똑. 마음입니다』(뜨인돌어린이, 공저) 출간.
한국출판문화산업진흥원의 우수출판콘텐츠지원 사업에 선정되어 교단에세이 『너희들의 봄이 궁금하다』(브로콜리숲) 출간. 제자인 누리가 삽화를 그려주어 삶에서 제일 소중한 책이 됨.

2020년 한국문화예술위원회 아르코문학창작기금을 받음.
인성 동시집 『내 마음에 사랑이 다닥다닥』(뜨인돌어린이, 공저) 출간.
영주에 있는 초등학교 4학년 교실에서 아이들과 지지고 볶고 잔소리하며 지내고 있음.

이금이

한없이 게으른,

그러나 한없이 부지런한

작가, 이금이를 느끼다

전직 이장 사모님

작가들은 모이면 늘 작품 이야기를 하고 책 이야기를 하고 문화계 전반의 이슈를 훑으며 치열한 논쟁을 벌이는 줄 아는 내 친구가 있다. 그 친구는 지금까지 직장을 다니는데 그녀의 직장은 농수산물시장이다. 고등어와 삼치 전문 '영수수산'의 경리로 30년 가까이 계산기를 두드리며 지낸다. 그녀의 계산기는 숫자가 닳아서 보이지 않는다. 그런데도 그 계산기 버튼을 누르는 손가락의 움직임은 눈이 따라가지 못할 만큼 빠르다. 그럴 때마다 난 감탄을 하며 친구를 치켜세운다.

'보름이어서 고기가 안 잡힌다, 수온이 높은 여름에는 기름이 다 빠져 맛이 없다, 우리나라 근해에서 잡히는 고등어는 즉시 냉동해야 살이 부서지지 않는다, 그러니 생물은 다 거짓말이다, 해동한 걸 생물이라고 뻥 치는 거다, 추운 바다에 사는 고등어는 추위를 견디  려고 기름이 저장되어있다, 그러니 여름엔 기름 잘잘 흐르는 노르웨이산이 맛있다…'

그 친구는 내게 고등어 이야기를 하고 삼치 이야기를 한다. 내가 모르는 세상의 이야기, 들으면 들을수록 재미있다. 무릎을 치다가 깔깔거리다가 눈을 반짝이며 가까이 다가가면 그 친구가 하던 이야기를 딱 멈추고 나를 빤히 본다. 그러고는 이렇게 말한다.

"너, 나랑 노는 거 재미없지? 만날 작가 선생님들이랑 놀다가 고등어 이야기나 하고, 시장 사람들 이야기나 하는 나하곤 말이 안 통하지?"

중학 동창인 내 친구는 고등어 철이 되면 젤 맛있는 고등어를 사오고, 물 젤 좋을 때 오징어를 사온다. 새우 살 찔 때, 굴이 알 꽉 찰 때, 홍합 알 굵을 때를 척척 알아 그 때마다 최고로 골라온다. 그뿐만이 아니다. 이웃 과일 시장, 야채 시장도 빠삭한 그녀는 열무가 젤 좋을 때, 복숭아가 젤 단맛을 낼 때, 심지어는 미국산 체리인지 터키산 체리인지 눈으로 보고 척척 가려낸다.

"경옥아, 넌 어떻게 이런 걸 다 잘 알아?"

"너, 나 놀리지? 시장에서 30년을 굴렀는데 이것도 모르면 바보지?"

그러면서 또 묻는다.

"작가 선생님들이랑은 어떤 이야기 해? 너 이금이 선생님이랑은 무슨 이야기 해? 오미경 선생님이랑은? 한상순, 정진아 선생님이랑 만나면 시 이야기해? 난 그런 거 하나도 모르는데. 미안하다 친구야."

(내 친구는 내가 만나는 작가들을 거의 알고 있다. 물론 그 작가들도 내 친구 이야길 들으면 아, 경옥 씨. 하며 고개를 끄덕이거나 그 집 딸 안부까지 물어본다.)

내 친구는 작가들은 만나면 뭐 대단한 이야기를 하는 줄

안다. 고등어, 삼치 이야기하는 본인이 더 특별한 이야기를 하는 줄도 모르고.

"이 스카프 어디서 샀어요? 와우 진짜 잘 어울린다."

"이거 괜찮지? 요기 약수 역 앞에서."

"완전 내 스타일."

"같이 가 볼래?"

"네."

이게 나의 일상 대화다. 또 이런 이야기도 한다.

"나, 이래 뵈도 이장 딸이었어."

"어, 나도 이장 딸이었는데. 달리도 이장 딸."

"난 조합장 딸, 이천 조합장 딸."

"이장이 높아? 조합장이 높아?"

"그래도 옛날엔 이장이 최고였지."

"니들은 이장 딸이었냐? 난 이장 마누라였다."

이금이 작가다.

"이장이 이장 일을 하지 않으니 내가 이장이나 마찬가지였지. 아침마다 마이크 잡고 동네 방송 전문이었어. 주문한 비료 찾아가라고 알리고, 개울 청소한다고 알리고, 심지어는 누구 아버지 집에 손님 왔으니 속히 돌아가라고 알리고, 누구 집 송아지가 밭으로 도망쳤으니 같이 힘을 보태자고 알리지."

"와, 대박."

작가들이라고 별다를까. 이런 소소한 이야기, 평범한 이야기를 주고받으며 웃고 떠든다. 그런데 주고받은 이야기를, 보고 들은 것을 그냥 끝내지 않는다는 것, 그게 작가라고 할까? 물론 다 그런 건 아니지만 그 전문가가 이금이 작가다.

이금이 작가와 네팔을 세 번이나 다녀왔다. 갈 때 좋고 올 때 더 있고 싶어 아쉬운 감정으로 네팔을 오가는 동안 같이 간 작가들에게 자괴감을 느끼게 하는 데도 재주가 뛰어난 이금이 작가다. 네팔 방문을 하며 다른 작가들이 히말라야 앞에서 모델 뺨치는 포즈로 찍은 수백 통의 사진을 남겼을 때 이금이 작가는 「머 따라 호」(어린이와 문학 2017년 5월호)라는 청소년 소설을 남겼다. 네팔 말로 '따라'는 별이다. '나는 별입니다'인데 이 소설의 주인공 따라는 네팔을 갈 때마다 같이 지내던 아이였다. 그 아이와 놀면서도, 그 아이와 함께 판차코시를 오르면서도, 그 아이가 아직도 남아있는 카스트제도의 신분 중 최하층인 달리트인 것을 마음 아파했을 뿐 작품으로 담아낼 생각은 하지도 않았다. 하기야 담는다고 『머 따라 호』처럼 써 낼 재간이 없는 것을 탓해야겠지만. 어쨌든 이금이 작가의 장점은 자신이 머문 공간에서 자신이 만난 사람들과의 관계를 그냥 흘려 보내지 않는다는 것이다. 자기 안에 담아두고 오래오래 주무르고 숙성시켜 최고의 이야기로 만들어내는 뛰어난 재주를 가지고 있다.

그러니 전직 이장 사모님이었던 경험을 허투루 버리지 않고 『밤티 마을 큰돌이네 집』 시리즈를 써 내고 『맨발의 아이들』을 남긴 것이다. 『너도 하늘말나리야』에 나오는 바우 아버지 또한 그때의 경험이 투영된 캐릭터일 것이다. 전직 이장 딸이었던 나는 뭘 했나. 내가 할 수 있는 일은 이런 자책뿐이다. 그 자책이 오래라도 가면 뭐라도 하나 썼을 텐데 하루 지나 빨빨거리며 친구랑 고등어구이 맛집을 찾아다니며 놀고 있으니 자책도 이금이 작가 앞에선 부끄러운 짓이다.

한없이 게으른, 그러나 한없이 부지런한 작가 이금이

이금이 작가는 스스로 이렇게 말한다. '하기 싫은 일을 할 때면 정말 게으르거든. 근데 좋아하는 일은 끝을 보는 성격이야. 미련할 정도로 부지런하지.'

사람 만나고 몰려다니며 먹고 노는 일을 좋아하지 않아서 다행이다. 운동이나 등산도 좋아하지 않으니 이런 일엔 게으르기 짝이 없다. 오로지 읽고 쓰고 보는 일을 제일 좋아하니 글을 쓸 수밖에 없다. 책만 있으면 몇 날 며칠을 갇혀 있어도 즐겁고, 암막 커튼만 있으면 2박 3일을 새워 영화를 보는 것도 좋아한다. 누가 밥 안 먹고 화장실도 안가고 그냥 1년이고 2년이고 글만 쓰라고 하면 그것도 고개를 끄덕일 것이다. 좋아하는 일이니까, 잘 하는 일이니까. 세상에 좋아하는 일이 잘 하는 일인 사람은 얼마나 될까? 정말 만복을 받은 사람이다.

좋아하는 일조차 게으른 내게 '동시는 모르겠지만 동화는 엉덩이로 쓰는 거야. 몸이 뒤틀리고 놀고 싶어 엉덩이가 들썩여도 붙이고 있는 힘, 그 힘 없으면 동화 쓰지 마.'

이 단호한 한 마디에 저절로 고개가 숙여진다. 그리고 그 말을 스스로 행동으로 보여주는 이금이 작가를 보며 절망감에서 헤어 나오지 못한다. 이쯤에서 땀띠 이야기를 해야겠다.

9월의 어느 밤이었다. 차 한잔하고 싶어 전화를 했다. 장편을 쓰고 있는 걸 알기에 시간을 뺏는 게 아닌가 괜히 조심스러웠다. 며칠을 바깥 구경 못했는데 전화 줘서 고맙다며 바로 나왔다. 폐인이 따로 없었다. 입술은 부르트고 피부는 푸석푸석, 머리는 염색을 하지 못했는지 희끗희끗했다.

"원고는 어떻게 다 쓰셨어요?"

"아니, 잘 안돼."

언제까지 쓰겠다, 계획을 세우고 그 계획을 꼭 지키는 성격을 알기에 걱정스럽게 말했다.

"그럴 땐 좀 쉬세요. 쉬었다 가라고 잘 안 풀리는 거예요."

"쓰고도 맘에 안 들어. 보면 고칠 게 있고, 또 보면 또 고치게 되고 하도 봐서 토가 나올 지경이야."

그러면서 자꾸 손을 긁었다.

"왜 그러세요?"

"땀띠가 났어."

세상에나. 한들 바람 살랑거리는 이 날씨에 그것도 목도, 겨드랑이도 아닌 손날부터 팔까지 자판을 두고 바닥에 닿는 그 부분에 오돌토돌 땀띠가 나 있었다. 울컥 했다. 땀띠가 날 수도 있다. 하지만 평생 땀띠가 날 일도 없을 손날과 팔 안쪽, 그 자리에 땀띠가 났다는 사실에 눈물이 핑 돌았다. 컴퓨터 자판을 얼마나 두드리면 땀띠가 날까? 엉덩이 붙이고 쓰는 힘이라지만 얼마나 오랫동안 썼기에 그곳에 땀띠가 날까? 허리는 또 얼마나 아팠을 것이며 손목은 또 얼마나 시렸을까? 그런데도 꿈쩍 않고 글을 쓰고 있었으니, 그 글이 뭐라고 저렇게 써야하는 걸까? 이런 저런 생각에 숙연하기까지 했다. 작가에게 이름은 그냥 얻어지는 게 아니다. 그 이름을 지키며 사는 것 또한 얼마나 치열한 글쓰기를 해야 하는지 가을밤 이금이 작가의 땀띠를 보며 깨달았다. 백 마디 말로 가르치고 일러주는 게 아니라 그냥 당신의 일상으로 가르침을 주는 이금이 작가의 미련한 부지런함을 나는 존경한다.

등장인물로부터 인생을 배우다

『거기 내가 가면 안 돼요?』는 이금이 작가의 미련한 부지런함이 없었다면 세상에 나오지 못했을 것이다. 작가 생활 32년 만에 쓴 첫 역사 장편소설, 2004년에 이야기 씨를 뿌려 12년 뒤인 2016년에 완성한, 원고지 2000매가 넘는 이 소설을 쓰는 과정을 지켜본 나로서는 그 자체가 공부였다.

증평에 있는 문학관에서 지내던 이금이 작가를 만나러 간 적이 있다. 가까운 곳에 휴양림이 있어 몇몇 작가들과 놀러 간 김에 들렀다. 집필실에는 책이 빽빽했다. 3개월 동안 책만 읽다 가겠다고 맘 잡고 들어왔다는 것이다. 일제강점기 역사부터 건축학, 중국사, 복식사, 교통수단까지 별별 책이 다 있었다. 동시대가 아니라 1920년대부터 1954년까지를 시대적 배경으로 설정한 이 작품을 쓰기 위한 준비과정이라며 관련 도서만 100권을 넘게 읽었단다. 게다가 논문과 신문, 영문 도서는 딸에게 번역을 부탁해서 읽으며 작품에 들어갈 인물의 삶에 뼈를 세우고 살을 붙였다. 그 인물들이 살 집을 그리고 입는 옷가지며 그 당시 먹던 음식과 심지어는 경성 거리에 어떤 간판이 걸려있었는지까지 알아두기 위함이었다.

작품을 쓰는 동안 이금이 작가의 작업실 벽에는 크고 작은 메모지들이 더덕더덕 붙어있다. 채령이 집인 가회동 저택과 별채의 동선까지 치밀하게 그려놓은 설계도가 붙어있고 입간판이 즐비한 경성 거리의 모습, 그 뒤로 전차 길을 그려놓기도 했다. 주인공이 집을 나와 여기까지 오는데 걸리는 시간까지 계산한 흔적이 있으며 인물의 가계도는 물론 생김새의 특징이나 키, 상대에 대한 친밀도까지 표시해 두고 특별한 날짜에 일어났던 당시 신문 기사의 내용까지도 기록해 놓았다. 비록 작품 속에 직접적으로 등장하지 않더라도 작가는 보이지 않는 곳까지 구석구석 다 알고 있어야 한다고 했다. 그래야만 치밀한 묘사를 할 수 있고 그것이 인물을 살아 움직이게 하는 힘이라고 했다. 또 길거리에 뒹구는 돌멩이 하나도 이유 있는 등장이어야 하며 그래서 스쳐가는 바람조차 언제 불게 할 것인지 미리 생각하고 있어야하는 게 작가라고 했다.

"이건 뭐예요?"

등장인물 옆에 우리가 잘 아는 연예인 얼굴이 붙어있었다. 이금이 작가만의 인물 창조법이라고 할까. 소설 속 인물을 만들 때 그 인물과 가장 닮은 연예인의 이미지를 떠올리며 쓰면 인물이 더 생생하다는 것이다. 이를 테면 지적이면서도 날카로운 이미지의 주인공에게 한석규의 얼굴을 붙여놓는다거나 이런 식이었다. 보는 나도 그 연예인의 얼굴을 보며 이런 인물로 그려지겠구나, 떠올릴 수 있었다.

'인간은 한없이 복잡하고 다면적인 존재로 완전한 선인도 악인도 없다. 누구든지 자신의 욕망이나 이익 앞에서 흔들리며 살아간다. 이런 인간을 일제강점기라는 역사적 프레임에 가둬 이분법적으로 그리고 싶지 않았다. 그 마음으로 인물들을 대하자 그들도 내게 솔직하고 깊은 속내를 드러내 주었다. 글을 쓰는 과정은 나보다 앞서 살았던 그들로부터 인생을 배우는 시간이기도 했다.' (『거기, 내가 가면 안 돼요?』 작가의 말 일부)

이금이 작가는 자신이 만들어내는 등장인물로부터 인생을 배운다고 했다. 그가 만들어내는 인물 하나하나는 그냥 만들어낸 게 아니라 과거에 살았거나 현재를 살아가고 있는 우리들 중 누구인 것처럼 그 이야기에 딱 맞는 옷을 입고 자기 인생을 열심히 살아가는 인물들이다. 『거기, 내가 가면 안 돼요?』에서 개인적으로 첩의 자식을 키우며 애증의 마음을 생생하게 그려낸 곽씨 부인에게 연민의 정을 느꼈다. 자식을 위해 죽은 목숨처럼 살던 술이네가 아들을 징용으로 보낸 윤형만 자작에게 느낀 배신감을 표현하는 부분에서는 그 마음

나도 알아요, 손이라도 잡아주고 싶을 만큼 현실감 있게 다 가왔다.

주인공 수남은 또 어떤가. "거기, 내가 가면 안 돼요?" 채령의 생일 선물이 되어 경성으로 오게 된 수남은 자신이 한 이 말 한 마디가 자기 인생을 어떻게 바꿔놓는지도 모른 채 그저 매순간 주어진 삶을 억척스럽게 견뎌낸다. 그 모습은 오래 전 그 시대를 살다간 우리들의 할머니였으며 우리 이웃이었다.

'그들이 이룬 것을 말하기 보다는 그들이 살아낸 삶을 말하고 싶었어요. 이름 없이 살았던 사람들, 이름을 남기지 못한 사람들의 이야기를 써 보고 싶었다.'는 이금이 작가는 그래서 논 서 마지기에 팔려온 수남에게 강한 애정을 담아냈을 것이다. 아우내 장터에서 독립만세를 불렀던 유관순 같은 삶만 있는 게 아니라 유관순과 같은 나이에 시집가서 자식을 키우던 삶도 있었고, 빼앗긴 나라를 되찾기 위해 독립운동을 하며 전국을 돌아다닐 때 어린 자식들 주린 배를 채우기 위해 억척스럽게 삶을 살아낸 이름 없는 촌부도 있었다는 걸 보여주고 싶었던 것이다. 그 어떤 삶이든 가벼운 삶은 없었다고, 저울로 재고 말고 할 수 있는 삶은 아니었다고 말이다. 그래서 이야기 속 얽히고설킨 수많은 인물 그 누구도 허투루 그려내지 않고 끝까지 그 인물들을 책임지고 살려놓았다. 솔직히 이금이 작가 얼굴 그 어디에도 이런 악착같은 끈질김이 보이지는 않는다. 그런데 자신이 좋아하는 일, 하고 싶은 일,

특히 글에서만은 무섭고 집요하리만치 치밀하다.

발로 뛰는 작가

바이칼 호수를 배로 건넜다. 호수 가운데 있는 알혼(Alhon) 섬은 알록달록한 색으로 칠한 대문과 담이 눈이 부실 만큼 예뻤다. 나는 그곳에서 황혼을 보며 눈물짓던 이금이 작가를 잊을 수가 없다. 이광수의 「유정」을 읽으며 꼭 가보리라 생각했는데 드디어 꿈에 그리던 바이칼 한 가운데 섰으니 벅찼을 것이다. 『거기, 내가 가면 안 돼요』에서 수남은 주인집 도련님, 강휘와 사랑을 확인하며 바이칼호를 찾는다. 그곳에서 둘은 짧지만 꿈같은 하루를 보내고 헤어진다. 나는 그 부분을 읽으며 이금이 작가의 눈물을 다시 떠올렸다. 그 눈물은 수남이 강휘에게 처음으로 자기 마음을 내보인 고백이었으며 그 마음을 알면서도 아버지가 수남에게 한 짓이 미안해 쉽게 다가서지 못하는 강휘의 좌절이었다.

작품 속에 등장하는 배경을 함께 여행하는 기분, 언젠가 몽골 여행을 갔었는데 『신기루』라는 작품이 그곳을 배경으로 하고 있었다. 나는 그 작품을 읽으며 혹 내가 등장하지 않을까 가슴이 뛰었었다. 이야기 속에서 공룡 알을 찾는 인물이 등장하는데 그게 바로 나였다. 일억 오천만 전에 살았던 공룡 알 화석을 발견했다며 고비 사막이 떠나가라 고래고래 소리만 지를 줄 알았지 작품으로 빚어낼 줄은 몰랐던 내가 책 속에 짧게라도 등장하니 그것만으로도 감사한 일이었다.

이금이 작가는 여행을 많이 다닌다. 작품에 넣고 싶은 배경이 있으면 그 배경을 찾아 취재여행을 떠나기도 하고 이미 다녀온 곳의 분위기를 작품을 쓸 때 재현하기도 한다. 『거기, 내가 가면 안 돼요?』는 경성 가회동에서 시작해 일본, 미국, 러시아, 중국 등 수많은 나라, 수많은 도시를 거쳐 간 채령과 수남의 여정이 그려진다. 채령을 사랑한 일본인 준페이의 고향은 요코하마로 설정되었다.

글을 쓰다가 막혀 더는 못 쓰게 되었을 때 이금이 작가는 요코하마 비행기에 몸을 실었다. 부둣가를 돌아보고 채령과 준페이가 타고 떠날 미국행 여객선을 직접 보고 와서야 그들의 여정을 다시 그려냈다고 한다. 그 뿐만이 아니다. 채령 일행이 미국 이민국에서 조사를 받던 앤젤 섬도 발로 뛰며 취재를 했고 그래서 마치 그곳을 그대로 옮겨놓은 듯 생생한 묘사가 돋보인다. 역사 소설이기 때문에 공간은 물론 모든 배경에 정확한 고증이 필요했을 것이다. 무대 하나하나를 찾아다니며 디테일한 소품까지도 작품 속 주인공들의 삶에 녹여내는 모습은 글만큼이나 감동적이다. 어떤 부분은 상상력으로 써내도 될 법 한데 확실해질 때까지 절대 쓰지 않는다. 그래서 준비과정이 그렇게 긴 것이다.

"선생님, 앞으로 역사 소설 쓰지 마세요. 들인 시간에 이 노력이면 장편 3권도 넘게 썼을 걸요. 게다가 취재로 왔다갔다

하며 뿌린 돈은 또 얼마예요. 인세보다 더 나가겠어요.”

완성된 책을 읽으며 입이 방정이라는 생각을 했다. 작품에 대한 모독이며 작가에 대한 예의가 아니었다. 이 작품이 이금이 작가의 인생작이라는 말이 왜 나오는지 알 수 있었다. 난 말을 바꿔 다음엔 어떤 이야기를 쓸 거냐고 보채기까지 했다. 방대한 역사 소설을 쓰면서 또 다른 이야기가 가지를 쳤다는, 그래서 이 시대를 배경으로 몇 작품 더 쓰고 싶다는 이금이 작가의 말에 속으로 만세를 불렀다. 그러면서 또 다른 다짐을 했다. 작품의 배경이 어디가 될지는 모르겠지만 열심히 따라붙을 거라고. 가서 신나게 놀고 돌아오면 이금이 작가는 또 작품을 쓸 것이다. 그 모습을 보며 짧은 좌절과 자학은 하겠지만 근성도 없고 부지런한 면도 없는 나로서는 함께 여행을 다니는 것만으로 족해야 한다는 걸 잘 안다. 어쩌다 배경 속에 내 모습이 슬쩍 나와 주면 더할 나위 없이 좋겠지만 발에 채는 돌멩이 하나에도 이유가 있어 등장하듯 꿈으로나 족해야 할 일이다.

작가, 이금이를 느끼다

최근작 중 저학년을 위한 동화 『하룻밤』을 살펴보자.

『하룻밤』은 현재의 하룻밤과 과거의 하룻밤이 이야기 속의 이야기로 액자구성을 띠며 흘러간다. 출장 간 엄마를 대신해 아이들을 재워야하는 아빠는 잠들기 전 엄마가 했던 것처럼 아이들에게 동화책을 읽어주지만 되레 타박만 받는다. 엄마는 그렇게 재미없게 읽지 않았다고. 거실에 텐트를 치고 나름 열과 성을 다하지만 엄마의 빈자리를 채울 수 없었던 아빠는 책읽기를 접고 어린 시절 특별한 하룻밤의 경험을 이야기해주기로 한다.

"아빠가 용궁에 간 이야기 해 줄까?"

용궁이라니? 잠을 재우려는 것일까? 밤을 새자는 뜻일까? '옛날 옛적, 30년 전 일이야. 우리 집안엔 얼마 되지 않은 전통이 하나 있었어. 아이들은 열 살이 되면 할아버지와 함께 밤낚시를 가야했지.'로 시작되는 아빠의 하룻밤은 그 전통이 깨지는 사건이었다. 열 살이 아니라 여덟 살인 자신을 할아버지가 밤낚시에 데려갔으니 말이다.

눈치 빠른 독자는 왜 할아버지는 전통을 깨면서까지 '나'를 낚시터에 데려갔을까? 에 물음표를 던질 것이다. 하지만 그 궁금증은 작가가 걸어놓은 용궁 최면에 빠져 금방 관심 밖이 되고 용궁을 정말 다녀온 걸까? 용궁에 가면 세 가지 소원을 들어준다고 하는데 그 소원이 뭘까? 용궁에서 가져온 초록색 하트 보석은 진짜일까? 가짜일까? 이런 궁금증에 휩싸이게 만든다. 그러는 동안 맨 먼저 던진 물음의 답을 알게 된다. 알고 있었지만 잊고 있다. 아차, 다시 생각났을 때 그 알고 있는 일이 영원한 이별인 죽음이라면 얼마나 마음이 아플까? 작가는 '죽음이 삶을 다한 뒤에 오는 선물'이라는 말로 손자를 위로하는 할아버지의 마지막 음성을 남겨두고 하룻밤을 맺는다.

그리고 우리는 이제 깨닫는다. 용궁을 다녀온 하룻밤이 아니라 할아버지와 함께 한 하룻밤에서 우리는 한 생애를 살다 간 어떤 삶을 만나게 된다는 것을. 강물을 바라보면서 기다림이 무언지를 알게 되는 하룻밤, 소리가 귀로 듣기만 하는 게 아니라 눈으로, 몸으로, 냄새로, 맛으로도 느낄 수 있다는 걸 깨닫게 되는 하룻밤, 어디 그뿐인가. '시간은 강물과 같아서 한 번 지나가면 되돌릴 수 없다'는 가르침과 '하찮은 물건도 추억이 담기면 보물이 되는 법'을 알게 하는 하룻밤, '기억을 통해 영원히 산다'는 유언 같은 할아버지의 말이 오가던 하룻밤을 내가 살고 있는 현실의 하룻밤에서 조우하게 될 것이다. 그리고 그 하룻밤의 한 생애에 경의를 표하게 될 것이다.(사계절 출판사 블로그 '전문가 서평'에 실렸던 글 일부)

『하룻밤』은 죽음을 앞둔 할아버지가 낚시터에서 손자에게 들려주는 이야기로 세상을 바라보는 철학적 사유가 돋보이는 작품이다. 작가는 할아버지의 목소리를 빌어 따뜻하고 겸손한 시선으로 하룻밤에 담긴 희로애락을 선물로 남긴다.

이금이 작가의 시선은 따뜻하다. 대상에 깊은 성찰이 있다. 언젠가 나라를 떠들썩하게 한 연쇄살인범이 텔레비전에 나왔다. 인간의 탈을 쓰고 어떻게 저럴 수 있을까, 목소리를 높이고 있는데 이금이 작가가 말했다.

왜 연쇄살인범이 되었을까? 어떤 환경에서 자랐을까? 가족들은 어떤 사람들일까? 친구는 있었을까? 결과에서 거꾸로 원인을 찾아가는 것, 그게 작가의 일이라고 했던 말이 떠올랐다. 보이지 않는 곳에 시선을 두는 것, 그 대상을 어떤 편견도 없이 바라보라는 것. 그래서일까? 『거기, 내가 가면 안 돼요?』에 나오는 윤형만 자작은 인간의 본성과 욕망을 그대로 표출한 인물이다. 그래서 마지막 자결하는 부분은 가장 윤형만다운 선택이었다는 걸 인정하게 된다. 그러면서도 한편으로는 그의 인생이 측은해진다.

악인이든 선인이든 그들의 삶을 철저히 그들 입장에서 그려내는 작가 이금이의 시선이 나는 참 좋다. 오늘도 농수산물 시장에서 열심히 계산기 두드리고 있을 내 친구, 너 작가 될 때 나는 계산기나 두드리며 뭐하고 사는지 모르겠다고 한숨 쉬는 내 친구 황경옥 같은 인물에게 매력을 느끼는 작가 이금이의 시선이 정말 좋다. 이뤄놓은 삶보다 그 삶을 살아내는 사람들에게 마음을 주는 이금이 작가가 정말 정말 좋다.

— 《열린아동문학》, 2018, 봄.

임시 보호

  포포가 집에서 날 기다리고 있다. 차에서 내린 나는 엄마가 장 본 물건들을 꺼내는 사이 엘리베이터로 뛰어갔다.

  포포는 우리가족이 임시 보호하게 된 개다. '임시 보호'는 버려진 반려동물을 입양할 사람이 나타날 때까지 맡아서 키우는 걸 말하는데 줄여서 '임보'라고들 한다. 유기동물 보호소 사이트에서 토이 푸들인 포포를 찾아낸 건 나다.

  스마트폰이 없는 나는 하루 한 시간뿐인 컴퓨터 시간을 대부분 반려견 영상 보는데 쓴다. 내가 제일 좋아하는 견종은 푸들이다. 그중에서도 미니어처 푸들이나 토이 푸들처럼 작고 앙증맞은 아이가 좋다. 그런데 기적처럼 내가 원하던 개가 나타났다. 포실포실한 갈색 털에 까만 눈이 단추처럼 콕 박힌 천사 같은 아이를 버리는 사람이 있다니. 포포란 이름까지 마음에 쏙 들었다. 게다가 푸들은 털이 빠지지 않아 털 알레르기가 있는 엄마에게도 딱 맞는 견종이다.

  임시 보호 신청 절차를 마치고 아빠가 보호소에 가서 포포를 데려오기를 기다리는 3일은 하루가 1년처럼 길었다. 며칠 동안 나는 경시대회 기출문제 푸는 것도 미루고 푸들의 습성, 성격과 특징 등을 다시 꼼꼼히 공부했다. 푸들은 옛날에 야생 물새 사냥을 위해 교배된 사냥견으로 아주 똑똑하고 활동적이다. 성격이 안 좋다고도 하는데 그건 산책을 자주 안 시켜서 그렇다. 영상을 보며 배변훈련은 물론 산책시키는 방법도 배웠다.

나는 포포와 함께 산책하는 내 모습을 상상하며 미용은 어떤 모양으로 할지, 무슨 옷을 입힐지, 어디로 갈지까지 계획했다. 포포와 3년쯤 함께 살며 이미 그 모든 것을 해본 기분이었다. 마지막 큰 계획이 하나 더 있지만 그건 아직 비밀이다.

도어락 비밀번호를 누를 때 심장이 폭발할 것처럼 뛰었다. 힘차게 문을 열었는데 나를 반기는 포포는 보이지 않았다. 많이 아는 만큼 나는 금방 현실을 받아들였다. 오늘 처음 만나는 건데 기대가 너무 컸어. 버려졌던 동물은 사람에 대한 경계심이 많잖아. 걱정 마. 내가 사랑으로 네 상처를 치유해 줄게.

TV와 소파 대신 책장과 넓은 테이블이 있는 거실을 살폈지만 포포는 보이지 않았다.

"엄마, 포포는요?"

나는 뒤이어 들어온 엄마에게 물었다. 엄마가 대답 대신 베란다 문 옆에 놓인 내 키만한 해피트리 쪽을 가리켰다. 구석에 숨어 있나 보다.

'오구오구, 아직 우리 집이 낯설구나.'

엄마 미소를 지으며 그쪽으로 간 나는 우뚝 멈춰 섰다. 꿈에서도 기다리던 포포 대신 누런 중형견이 화분 뒤에 엎드려 있었다. 나는 내 눈을 의심하며 다시 보았지만 포포가 아니었다. 누런 개는 혈통도 알기 어려운 믹스견이었다. 똥개라는 말이다.

"이게 뭐야? 포포가 아니잖아요! 포포 왔다면서요."

나도 모르게 고함을 질렀다. 엄마가 대답 대신 재채기를 했다.

밤에 학원으로 나를 데리러 오는 건 아빠 담당이다. 오늘은 엄마가 와서 이유를 물었더니 아빠는 개를 데려다 놓고 다시 사무실에 나갔다고 했다. 엄마가 휴지를 뽑아 콧물을 닦았다.

"너 미리 실망시키기 싫어서 말 안했어. 아빠가 포포 데리러 갔더니 쟤는 내일까지 맡아줄 사람 안 나타나면 안락사시킨다고 해서 마음이 바뀌었대."

안락사라는 말에 움찔했지만 그렇다고 포포와 바꾼 게 받아들여지지는 않았다. 마음대로 개를 바꾼 아빠는 물론 집에 오는 내내 포포 이야기를 했는데도 시치미 떼고 있었던 엄마에게도 화가 났다.

"그런 게 어딨어요? 그럼 둘 다 데려오든가 해야지."

"두 마리를 어떻게 키워."

엄마가 알레르기약을 먹으며 말했다.

방으로 들어온 나는 가방을 벗어 팽개치고 침대 위로 몸을 던졌다. 눈물이 나왔다. 포포로 가득했던 가슴에 구멍이 난 느낌이었다. 그 자리는 무엇으로도 채워지지 않을 것 같았다. 노트북을 켜고 보호소 사이트에 들어가 보았다. 포포 사진 아래에 입양 완료라는 글자가 떠있었다. 내 개를 빼앗긴 것 같아 울음이 터져 나왔다. 엄마가 들어왔다.

"어떡해. 포포 벌써 입양됐어요. 이젠 못 데려온다고요."

나는 울면서 말했다. 엄마가 콧물을 훌쩍이며 내 옆에 앉았다.

"거봐. 푸들은 금방 입양 되지만 쟤는 데려가는 사람 없으면 죽는 거잖아."

"그래도 나한테 물어보지도 않고 마음대로 바꾸는 게 어딨어요."

"아빠 어릴 때 키우던 개가 생각나서 그랬대. 그리고 입양 잘 되는 개보다 아무도 안 데려가서 안락사당할 개를 돌봐주는 게 더 의미 있는 일이잖아."

엄마가 아빠 편을 들자 개가 바뀐 이유를 알 것 같았다.

"거짓말. 자소서 쓸 때 그게 더 있어 보일 거 같으니까 그런 거잖아."

"다 너를 위해서야."

엄마는 아니라고 하지 않았다. 대신 나를 위해서라고 했다. 그 말은 그동안 내 마음을 여는 만능열쇠 같은 말이었지만 지금은 아니었다.

"혼자 있고 싶어요."

엄마가 한숨을 쉬곤 방을 나갔다. 엄마의 알레르기까지 생각했던 내 마음을 아빠 너무 쉽게 무시해버렸다. 아빠는 마음보다 전략이 더 중요했던 거다.

유기견 임시 보호는 아빠 생각이었다. 내 장래 희망은 수의사다. 그것도 따지고 보면 내가 아니라 엄마 아빠가 정했다. 3학년 때였다.

수의사는 엄마 아빠가 내다본 미래의 유망 직종이었다. 처음엔 고령사회 어쩌고 하며 의사를 꼽았지만 나는 의사는 되고 싶지 않았다. 소아과나 치과에 갔을 때 의사 선생님이 좋았던 적이 없었다. 의사는 되기 싫다고 하자 아빠가 수의사를 권했다. 엄마는 내가 수학을 잘하니 적성에도 맞는 거라고 했다. 나도 귀여운 강아지나 고양이 같은 동물을 치료해주는 건 좋은 일 같았다. 그때부터 수의사라는 직업은 내가 간절하게 원하는 꿈이 되었다. 아빠와 엄마는 나를 수의사로 만들기 위한 장기 계획을 세웠다.

수의사가 되기 위해선 대학교 수의학과를 나와야 하는데 거길 들어가려면 초등학생 때부터 준비를 해야 한다. 가장 먼저 해야 할 게 4학년을 대상으로 뽑는 영재 교육원 지원이었다.

"지금부터 전략적으로 해야 돼. 정보 수집이나 학원 고르고, 관리하는 건 내가 맡을 테니까 당신은 하은이 건강 부분을 책임져. 10년짜리 장기 레이스인 만큼 정신이나 몸 다 건 강해야 완주할 수 있어."

　다른 집들은 자식 교육 때문에 부모님이 자주 싸운다는데 아빠 엄마는 쿵짝이 맞았다. 나는 영재 교육원 시험에 떨어졌지만 학교에서 운영하는 영재학급에는 붙었다. 모두 아빠의 전략과 관리 덕분이다. 그리고 6학년인 지금은 영재 교육원 중등 과정 지원을 준비하고 있다. 아빠는 늘 우리 가족이 수의사라는 내 미래를 위한 '원팀'이라고 강조했다. 나도 원팀의 한 사람으로서 내가 할 일을 스스로 알아서 해왔다.

　유기견 임시 보호도 입시 전략 중 하나였다. 영재 교육원, 과학고, 대학교 수의학과 합격을 위해서는 특별하고 꾸준한 나만의 스토리가 필요하다. 남들이 많이 하는 흔한 봉사활동보다 유기동물 임보가 수의사라는 꿈하고도 연관 있으면서 더 특별하다는 게 아빠 판단이었다.

　나는 그동안 아빠가 세웠던 그 어떤 전략보다 유기견 임보가 마음에 들었다. 개를 키우는 건 수의사보다 더 오래되고 순수한 꿈이다. 임시 보호일지라도 개를 키우고 싶어 일지 쓰는 것도 오케이 했다. 유기견 임보가 아빠의 전략이라면 내 전략은 임보하던 개를 아예 입양하는 거다. 아직은 비밀인 나의 마지막 계획이다.

　그동안은 영상으로만 보았지만 이제 진짜 개와 놀고 산책할 수 있게 됐다고 신나했는데 포포 대신 다른 개라니. 엄마도 내 자소서에 쓸 글 몇 줄을 위해 참고 있는 거지, 아빠가 데려온 개를 좋아하는 것 같지 않았다. 나도 포포 자리를 빼앗은 똥개의 일지 따윈 쓰지 않겠다고 다짐했다.

"가만히 있어, 진구야. 약 발라야지 얼른 낫지. 너, 목숨 구해준 사람한테 이러기냐."

아빠는 오래전부터 키우던 것처럼 자연스레 진구라고 불렀다. 진구인지 명구인지는 아빠가 상처에 약을 발라주는데도 으르렁거렸다. 내 앞에 토마토 넣은 에그 스크램블 접시를 놓아주던 엄마가 한숨을 쉬었다.

"엄마, 아빠한테 쟤 사무실로 데려가라고 해요."

나는 식탁에 앉으며 아빠에게 들리게 말했다.

"어제도 겨우 차에 태워왔는데 금방 또 이동하는 건 힘들지. 일단 집하고 우리 가족한테 적응할 수 있는 시간을 주자."

아빠가 엄마와 내 쪽을 보고 말했다. 나는 포포 자리를 빼앗은 개에게 절대로 적응하고 싶지 않았다.

"입양하겠다는 사람이 안 나타나면 어떻게 해? 그럼 우리가 계속 키우는 거야? 알레르기 약 먹으면 졸리단 말야."

엄마가 못마땅한 얼굴을 했다.

"입양하겠단 사람 금방 나타날 거야. 당분간은 내가 시간날 때마다 집에 와볼게."

늘 자신 있게 팀을 이끌던 아빠가 눈치를 보며 말했다. 월급쟁이인 엄마보다는 친구와 함께 작은 회사를 운영하는 아빠가 시간 내기 좀 더 자유로웠다.

"하은, 학교 갔다 오면 진구 간식 좀 줘. 놀아주면 더 좋고. 앞으로 네가 산책도 시켜야 하잖아."

손을 씻고 식탁에 앉은 아빠가 내게 말했지만 나는 대답하지 않았다.

"작은 개도 아닌 걸 하은이가 어떻게 산책을 시켜? 몰라, 당신 마음대로 바꿔왔으니까 당신이 책임져."

엄마 목소리가 날카로웠다. 우리 셋은 말없이 아침을 먹었다. 원팀에 금이 가고 있었다.

진구는 몸에 상처가 많았고 왼쪽 앞다리를 절었다. 사람이 있으면 화분 뒤에 웅크리고 있다 모두 집을 비운 사이 여기저기 오줌과 똥을 싸놓았다. 떠돌이로 살던 개라 배변훈련이 전혀 안 돼 있고 사람에 대한 경계심이 너무 컸다. 처음엔 산책 나가는 것도 두려워 했다. 5일쯤 돼서야 날마다 밥 주고 똥 치우고 놀아주는 아빠에게부터 조금씩 마음을 열기 시작했다.

아빠가 얼른 훈련 시켜 내게 넘겨주려는 것 같아 나는 진구를 모른 척 했다. 그런데 학교 갔다 오면 슬며시 다가와 간식을 달라는 눈빛으로 나를 쳐다보았다. 하는 수 없이 간식을 주었지만 놀아주지는 않았다.

학원 끝나고 차에 타니 뒷자리에 진구가 있었다. 울컥 화가 치밀었다. 포포를 데려오면 하려던 일이었다. 다른 지역에서 열리는 경시대회에 참가할 때면 온 가족이 함께 간다. 나는 포포도 함께 가는 걸 상상했다. 가는 동안 포포와 놀면 대회에 대한 긴장감이나 불안도 덜할 것 같았다.

나는 아침마다 원어민 전화 영어를 하고, 학교 끝나고는 영재 학습을 위한 학원에 다닌다. 학교에서 하는 영재학급 탐구 과제도 만만치 않고, 한 달이 멀다 하고 열리는 경시대회를 준비하는 것도 벅차다. 영재 교육원 시험을 생각하면 벌써부터 불안하고 겁이 난다. 이미 떨어져 본 경험이 있어서 더했다. 포포는 내가 나 자신에게 주는 선물이자 보상 같은 것이었다. 아빠는 그런 포포와 바꾼 진구를 떡하니 차에 태우고 나를 데리러 왔다. 내가 진구를 본체만체하고 일지도 쓰지 않으니까 관심 갖게 하려는 게 뻔했다.

"이번 경시 대회 나가려면 기출문제 꾸준히 풀어야 하는 거 알지?"

나는 침묵으로 내 마음을 표현했다. 한동안 말없이 운전하던 아빠가 입을 열었다.

"아빠 어릴 때 마당 있는 집에 살았어."

할머니 댁에 가면 그 집 마당에서 할머니, 할아버지, 고모들과 아빠, 그리고 개가 함께 찍은 사진이 거실 벽에 걸려있다. 사진 속 아빠는 나보다 어렸다.

"그 집 살 때 개를 키웠는데 이름이 진구였어. 그때는 개는 다 밖에서 키우고 사람이 먹다 남은 음식이나 주고 그랬지. 부모님은 맞벌이를 하시고 누나들이랑도 나이 차이가 나서 집에 혼자 있을 때가 많았는데 맨날 진구하고 놀았지. 진구 덕분에 무섭거나 심심한 적이 없었어. 그런데 아파트로 이사하면서 진구를 판다는 거야. 내가 안 된다고 울고 떼쓰니까 아버지가 진구 판 돈으로 게임기를 사준다고 했어. 어린 마음에 게임기 생기는 게 좋아서 그러라고 했지. 나중에 개장수가 사 간 개들을 보신탕집에 넘긴다는 걸 알고 얼마나 울었는지 몰라. 게임기도 다시는 쳐다보지 않았어. 보호소에 가서 진구 닮은 개를 보니까 그때 생각이 나서 그냥 올 수가 없더라. 안 데려오면 내가 또 죽게 놔두는 거 같아서 말이야."

처음 듣는 이야기였다. 할머니 댁에 있는 사진을 볼 때도 아빠는 진구에 대해 말한 적이 없었다. 포포 대신 진구를 데려온 이유를 알았지만 조금도 마음이 풀리지 않았다. 내게 더 특별한 봉사활동 스토리를 만들어주기 위해 하는 말 같아 더 화가 났다.

어릴 때 일이 그렇게 마음에 남아있었으면 진작에 진구 같은 애를 데려다 키우던가. 아빠는 자기 어린 시절의 죄책감을 덜기 위해 내가 간절히 원하는 걸 얻으려는 순간 짓밟아 버렸다. 나도 학교 갔다 빈집에 혼자 들어설 때면 무섭고 외로웠다. 그럴 때 나를 반겨주고 공부할 때 내 곁에 있어 주고, 쉴 때 나와 함께 놀아줄 포포를 기다렸던 거다. 아빠는 자신의 상처를 치유하자고 내게 더 큰 상처를 주었다. 진구가 뒷자리에서 고개를 빼 내 어깨에 코를 문질렀지만 모른 척했다.

진구에게 뜻밖의 일이 일어났다. 우리 집에 온 지 15일 만에 입양하겠다는 사람이 나타난 것이다. 무려 외국에서였다. 미국 캔자스주라는 곳에서 옥수수 농장을 하는 사람이라고 했다. 진구를 미국까지 데려다줄 이동봉사자도 정해졌다. 열흘 뒤였다.

"혈통 있는 개도 아니고 장애까지 있는데 입양을 하겠다니 신기하네. 암튼 잘 됐다."

엄마가 활짝 핀 얼굴로 진구 이야기를 했다.

"정말 잘 됐어. 농장이면 아파트보다 훨씬 자유롭게 지낼 수 있을 거야."

아빠는 잔뜩 흥분했다. 나도 신났다. 진구가 가고 나면 다시 내가 원하는 개를 데려올 기회가 생긴다. 그동안 얼마나 속상해했는지 아니까 엄마 아빠도 안된다고 하지는 못할 거다. 하지만 그동안 진구에게 관심을 보이지 않고 임보 일지도 쓰지 않은 게 걸렸다.

"진구, 미국에 가서 살려면 영어를 알아야 하겠네요. 갈 때까지 영어 훈련은 내가 시킬게요."

막상 진구가 떠난다고 하자 그동안 잘해주지 못한 게 미안하기도 했다.

"정말 영어 공부해서 가야겠네. 진구, 누나랑 영어 공부 부지런히 해."

엄마가 웃으며 아빠 발치에 앉아있는 진구에게 말했다.

"진구 가고 나면 이번엔 정말 내가 원하는 강아지로 임보하는 거죠?"

나는 슬쩍 말을 꺼냈다.

"그래. 그 대신 진구 일지부터 쓰기다. 오는 날부터 사진 찍고 메모도 다 해놨어."

아빠의 말에 나는 그러겠다고 대답했다. 우리는 오래간만에 치맥과 치콜 파티를 하며 즐거운 시간을 보냈다. 다시 원팀으로 돌아간 것 같았다.

진구가 떠날 날이 이틀 뒤로 다가왔다. 집에 들어가자 문앞까지 나온 진구가 꼬리를 흔들며 나를 반겼다. 간식부터 꺼내 들고 "싯 다운." 하자 진구는 뒷다리를 꿇고 앉았다. "핸드." 하며 내민 손바닥 위에 앞발을 척 올려놓았다.

"굿잡."

나는 진구 머리를 쓰다듬곤 간식을 주었다. 떠날 날이 정해진 뒤로 학교 갔다 와서 놀아주고, 아빠와 함께 산책도 시켰더니 더 따랐다. 나는 진구가 그동안 아빠의 시간이 되는 새벽이나 밤에만 산책을 갔었음을 떠올렸다. 진구가 한국을 떠나기 전에 환한 햇살 아래를 걷게 해주고 싶었다. 떠돌이로 살던 때 낮에 돌아다녔겠지만 갖은 위험과 굶주림 속에서였을 것이다. 불행했던 기억 대신 좋은 추억을 간직한 채 떠나보내고 싶었다.

나는 산책 나갈 때 아빠가 하던 대로 진구에게 가슴 줄을 채우고 입마개를 씌웠다. 진구는 중형견이고 공격성이 없지만 지나가던 사람한테 싫은 소리를 들은 뒤부터 아빠는 입마개를 씌웠다. 나는 간식과 똥 싸면 담을 배변 봉투를 챙긴 다음 진구를 데리고 밖으로 나갔다. 개를 혼자 산책시키는 건 처음이라 가슴이 두근거렸다.

아파트 밖으로 나가자 진구는 뒷다리를 들고 화단에다 시원하게 오줌부터 눴다. 진구는 나보다 앞서 아빠와 산책하던 길을 갔다. 아파트 단지 옆에 있는 공원을 한 바퀴 돌고 오면 40분이 걸렸다.

"서하은."

아파트 단지를 나와 공원 쪽으로 가는데 누가 나를 불렀다. 돌아보니 임지유였다. 4학년과 5학년 때 같은 반이었던 애다. 4학년 때는 2인 1조로 팀을 만들어 과학경시대회에 나간 적도 있을 만큼 친했는데 5학년 때 나만 영재학급에 붙으면서 사이가 멀어졌다. 그냥 멀어지기만 한 게 아니라 지유는 아빠가 내 과제를 대신 해주느니, 내가 잘난 척한다느니 뒷담화를 했다. 생일파티에도 초대하지 않았다.

친구가 많은 지유와 멀어지자 나는 교실에서 외톨이가 돼 갔다. 학원에서도 영재 교육반은 일반 반하고 강의실과 시간표가 달라 친구들과 어울릴 수 없었다. 학교가 다른 영재 교육반 아이들하곤 은근한 경쟁심리 때문에 친해지기 어려웠다. 주말에는 각종 대회에 나가느라 바빴다. 6학년이 돼서는 아예 친구 사귈 생각도 하지 않았다. 아이들과 어울리면서 겪게 될 마음고생이 겁났다. 외로울 때마다 나한텐 나를 인생의 1순위로 생각하는 엄마 아빠가 있으니까 괜찮아, 하고 자신에게 말하곤 했다.

"어…… 안녕."

나는 길에서 말을 걸어온 지유가 어색했다.

"니네 개 키워?"

내 곁으로 온 지유가 어제도 함께 놀았던 사이처럼 스스럼없이 물었다.

"임보하는 거야."

나는 지유 때문에 상처 받았던 기억이 떠올라 떨떠름한 기분으로 대꾸했다.

"임보? 그게 뭐야?"

멈춰 서있자 진구가 줄을 당기며 앞으로 가려고 애를 썼다.

"임시 보호. 나 지금 진구랑 산책 가야 되는데."

나는 그만 서로 갈 길 가자는 뜻을 내비쳤다.

"난 영어 공부방에 가는 중이야. 공부방 고양이랑 놀려고 일찍 나왔는데 애랑 같이 산책하지 뭐."

"너 학원 안 다녀?"

깜짝 놀라 나도 모르게 물었다.

"영어 공부방만 다녀."

"왜?"

"우리 언니가 원형탈모가 왔거든. 공부 스트레스 때문에 그런 거래. 덕분에 나도 학원 다 끊었어. 영어 공부방은 내가 좋아서 다니는 거고."

학원 끊었다는 이야기인데 주인공이 위기에서 탈출하는 동화를 읽을 때처럼 두근거렸다.

"근데 임시 보호면 니네 개가 아닌 거야?"

지유는 내 옆에서 함께 걸었다. 나는 임시 보호에 관해 설명해 주었다.

"그런데 쟤, 다리 왜 저래?"

지유가 왼쪽 앞다리를 저는 진구를 가리켰다.

"떠돌이로 다닐 때 다쳤나 봐. 바로 치료하지 않고 놔둬서 저렇게 됐대."

"불쌍하다."

나는 진구가 동정 받는 게 왠지 싫어 미국에 갈 거라는 이야기를 주었다.

"와, 짱이다! 미국에도 가고 나보다 낫네."

"우리 엄마도 그랬어."

우리는 킥킥 웃었다.

"참, 너희 엄마 털 알레르기 있지 않아? 그래서 동물 못 키운다고 했었잖아."

그걸 기억하고 있다니. 서로의 집을 오가며 사이좋게 지내던 때가 떠올랐다. 지금까지 지유 만큼 친하게 지냈던 친구는 없었다.

"약 드셔."

"니네 엄마 짱이다. 우리 엄빠는 알레르기도 없으면서 개 사달라고 하면 털 때문에 안된다고 하는데."

어느새 지유와 나는 공원에 도착했다. 우리는 진구의 속도에 맞춰 산책로를 걸었다.

"털 안 빠지는 애들도 있어. 푸들이나 말티즈, 비숑같은 애들. 우리도 처음엔 푸들을 임보하려고 했는데 얘는 맡아줄 사람 안 나타나면 안락사 시킨다고 해서 진구로 바꾼 거야. 그리고 개 키울 거면 사지 말고 유기견 입양해. 임보부터 해보든지."

포포 대신 진구로 데려오길 잘했다고 처음 생각했다.

"안락사 시킨다고? 불쌍하다. 난 저런 개 키우고 싶어."

지유가 어떤 할머니가 밀고 가는 유아차에 탄 개를 가리켰다.

"쟤가 비숑이야. 사교성이 좋아서 다른 개들이나 사람들하고 잘 지내. 말썽도 안 피우고. 적응력도 좋고 주인을 잘 따라. 저기 아저씨하고 같이 가는 개는 슈나이저인데……."

나는 신나서 말하다 문득 또 잘난 척 한다고 하면 어쩌지, 하는 걱정이 들어 말을 멈추었다.

"하은이 너 완전 개 박사네. 개 임보하려면 어떻게 해야 돼?"

지유가 새삼스러운 눈으로 나를 보며 물었다. 내가 잘난 척 한다고 생각하는 눈치는 아니었다. 나는 유기견 임보 절차를 자세하게 설명해주었다.

"가족 모두 임보에 동의해야 하고, 보호하는 동안 동물에게 들어가는 비용을 책임져야 돼. 입양인이 나타날 때까지 계속 맡을 수 있어야 하고. 또 사료, 간식, 배변 패드, 목줄 같은 거도 미리 준비해 놓아야 하고."

지유와 이야기하느라 공원을 두 바퀴째 돌고 있는 것도 몰랐다. 벤치에 잠깐 앉아 쉴 때 나는 진구에게 영어로 말하며 간식 주는 모습을 보여주었다. 지유가 자기도 하게 해달라고 사정했다. 진구가 한 발을 손바닥에 얹자 지유는 신이 나 방방 뛰었다. 친구와 깔깔대며 웃고 떠드는 시간은 너무 빨리 흘러갔다.

경시대회가 끝났다. 대회장에서 나오자마자 엄마 아빠가 번갈아 가며 시험에 관해 물었지만 나는 입을 꾹 다물었다. 차마 망쳤다는 말을 할 수 없었다. 엄마 아빠도 말수가 줄어들었고 차 안 분위기는 무겁게 가라앉았다. 이럴 때 진구가 있다면 그 애하고 노는 척이라도 할 텐데. 진구는 일주일 전 미국으로 떠났다.

고속도로로 들어선 차는 가다 서다 했다. 단풍 구경을 하고 돌아가는 차들 때문에 길이 많이 막혔다.

"하은이 덕분에 단풍 구경하겠네."

새벽에 출발하면서 엄마가 말했지만 그때는 어두컴컴해 바깥 풍경이 잘 보이지 않았다. 돌아가는 길, 예쁘게 물든 단풍이 눈앞에 펼쳐져 있었지만 그 이야기를 하는 사람은 없었다.

꽉 막힌 고속도로처럼 가슴이 답답했다. 그 길이 나를 기다리고 있는 미래 같았다. 앞으로도 6년 넘게 이렇게 하지 않으면 대학교 수의학과에 들어갈 수 없을 것이다. 수의학과에 붙지 못하면 수의사도 될 수 없다. 이번 경시대회를 치르면서 확실하게 깨달았다. 말 잘 듣는 딸, 자랑스러운 딸이 되기 위해 애써 왔지만 역부족이라는 사실을. 뒷자리에 앉은 나는 혼자인 것처럼 쓸쓸했다.

솔직히 부모님을 실망시키는 게 걱정스럽기보다 두려웠다. 내가 공부를 못해도, 엄마 아빠가 바라는 것을 이루지 못해도 나를 사랑해줄까. 엄마는 진구가 혈통도 없고 장애를 가졌는데도 입양된 게 신기하다고 했다. 진구가 애초에 버려진 건 그래서인지 모른다. 운 좋게 좋은 새 주인을 만나 미국으로 입양을 갔지만 그건 코끼리가 아이스박스에 들어가는 것만큼이나 일어나기 힘든 일이다.

차에 탄 뒤 한마디도 하지 않자 앞에 앉은 엄마가 휴대폰을 주었다. 스마트폰을 하며 기분을 풀라는 뜻이다. 채찍질하기 전에 주는 당근 같은 느낌이었다. 새 유기견 임시 보호는 영재학급 주제 발표와 경시대회 뒤로 미뤄둔 상태였다.

나는 망친 시험을 잊기 위해서라도 진구를 데려온 보호소 사이트에 들어갔다. 그런데 동영상 썸네일에 진구가 보였다.

"진구 영상이 있어요!"

나는 소리치며 얼른 영상을 클릭했다. 1분도 안 되는 짧은 동영상 속에서 진구는 목줄도 입마개도 없이 끝없이 펼쳐진

옥수수밭 사이를 달려가고 있었다. 한 다리를 절뚝거리면서도 신나게 달렸다. 울컥하면서도 시원했다. 내게서 휴대폰을 건네 받은 엄마는 "어머, 어머, 웬일이야." 하며 영상을 보았다. 휴게소까지 가지 못하고 아빠가 졸음 쉼터에 차를 세웠다. 우리는 머리를 맞대고 진구의 영상을 보았다. 인상 좋아 보이는 배불뚝이 아저씨와 아들로 보이는 남자애들이 개들과 원반을 던지며 노는 동영상도 있었다. 개가 두 마리 더 있었다. 다른 개가 보이면 꼬리부터 말던 진구는 그 개들과도 스스럼없이 어울렸다. 그런 진구의 모습을 보자 기분이 조금 풀렸다.

다음 휴게소에 들러 이것저것 배부르게 먹고 나니 잠이 쏟아졌다. 지유하고 공원을 산책했다. 나는 푸들을, 지유는 비숑을 데리고서였다. 개들도 우리도 즐거웠다. 지유가 헤어질 때 내게 생일 초대장을 주었다. 너무 좋아서 엄마한테 선물 사러 가자고 말하려는데 아빠 목소리가 들려왔다.

"진구가 자유롭게 뛰어노는 거 보니 행복한 거 같아서 좋네."

비록 꿈이지만 나도 지유와 함께 개를 데리고 산책해서 좋았다. 생일 초대장을 받은 것도 행복했다.

"그런데 우리 하은이는 행복하지 않은 것 같아."

엄마 말을 듣는 순간 잠이 확 달아났다. 하지만 내 이야기를 하는데 깼다는 걸 알리기 어려웠다. 나는 계속 눈을 감고 자는 척했다.

"제대로 실력 발휘 못한 것 같으니 그렇겠지. 그동안 준비를 얼마나 많이 했는데."

그런 건가? 나는 나 자신에게 물었다. 그건 아니라는 마음속 대답이 들려왔다.

"오늘 얘기만 하는 게 아니야. 우리가 잘 하고 있는 건지 자꾸 회의가 들어."

엄마의 한숨에 가슴이 덜컥 내려앉았다.

"아직 갈 길이 먼데 벌써 그러면 어떡하나."

아빠가 핀잔을 주었다.

"그러니까 더 걱정이지. 한참 더 갔는데 하은이가 이 길이 아니라고 하면 어떻게 해? 솔직히 나도 내 인생 전부를 하은이한테 올인하는 거 힘들어. 우리 부장님 부인은 아들 명문대 보내놓고 우울증 왔대."

엄마도 나와 비슷한 생각을 하고 있는 줄 몰랐다. 가슴이 두근거렸다.

"이 사람아, 나는 안 힘든 줄 알아. 나도 내 개인 생활 거의 없어. 그런데 어쩌겠어. 애가 싹이 없거나 싫어하면 모를까, 저렇게 하겠다고 하는데 밀어줘야지. 그게 부모 도리잖아."

아빠 목소리도 행복하게 들리지는 않았다. 심장이 더 세게 뛰었다. 기회였다.

나도 하고 싶어서 하는 거 아니라고. 싹이 있는 것 같지도 않다고. 수학 과학을 정말 좋아하고, 그 방면으로 창의력 넘치는 아이들을 보면 주눅 들고 초라한 기분이 든다고. 나도 정말 내가 좋아서, 힘들어도 즐겁게 견딜 수 있는 걸 찾아보고 싶다고.

  가슴이 답답했던 건 오늘 시험을 못 봐서가 아니라 목구멍까지 찬 말들 때문이었다. 나는 눈을 떴다. 그리고 엄마, 아빠를 불렀다. 그 말만큼은 부모님보다 내가 먼저 하기 위해서였다.

┃ 이금이 문학 연보 ┃

1962년 1월 4일, 충북 청원의 산골마을에서 태어나 할머니의 옛날 이야기를 들으며 자라다.

1968년 부모님이 계신 서울로 옮겨 초등학교 입학. 소년소녀세계문학전집 중 『하이디』를 읽고 3학년 때 작가가 되기로 결심하다. 중학생 때는 세계문학전접을 읽으며 작가의 꿈을 키우고, 고등학생 때는 직접 쓴 연애소설이 반 친구들에게 읽히다. 작가가 될 때까지 즐겁게 그 시간을 견디다.

1984년 새벗문학상 단편동화 「영구랑 흑구랑」으로 등단.

1985년 소년중앙문학상 「봉삼아저씨」 당선.

1987년 계몽아동문학상 『가슴에서 자라는 나무』 수상.

1988년 장편동화 『목장에 부는 꽃바람』(대교문화) 출간.
　　　　 ─개정판 『꽃바람』(푸른책들) 출간.

1988년 장편동화 『가슴에서 자라는 나무』(계몽사) 출간.
　　　　 ─개정판 『다리가 되렴』(푸른책들) 출간.

1991년 동화집 『영구랑 흑구랑』(현암사) 출간.

1994년 장편동화 『밤티 마을 큰돌이네 집』(대교출판) 출간.

1996년 동화집 『맨발의 아이들』(현암사) 출간.
　　　　 동화집 『지붕 위의 내 이빨』(두산동아) 출간.
　　　　 장편동화 『모래밭 학교 빵호돌』(대교출판) 출간.
　　　　 ─개정판 『모래밭 학교』(푸른책들) 출간.

1999년 장편동화 『도들마루의 깨비』(시공주니어) 출간.
　　　　 장편동화 『너도 하늘말나리야』(푸른책들) 출간.

2000년	동화집『구아의 눈』(푸른책들) 출간.
	-개정판『햄, 뭐라나 하는 쥐』(푸른책들) 출간.
	창작동화『땅은 엄마야』(푸른책들) 출간.
	장편동화『밤티 마을 영미네 집』(푸른책들) 출간.
	장편동화『나와 조금 다를 뿐이야』(푸른책들) 출간.
	장편동화『내 어머니 사는 나라』(푸른책들) 출간.
2001년	동화집『김치는 영어로 해도 김치』(푸른책들) 출간.
	동화집『아이스케키와 수상 스키』(푸른책들) 출간.
2002년	동화집『내 말이 맞아, 고래얍!』(푸른책들) 출간.
	-개정판『푸르니와 고우니』(보물창고) 출간.
	동화집『쓸 만한 아이』(푸른책들) 출간.
	연작동화『내 친구 재덕이』(푸른책들) 출간.
2003년	장편동화『미토는 똥도 예뻐』(푸른책들) 출간.
2004년	장편동화『아주 작은 학교』(푸른책들) 출간.
	청소년소설『유진과 유진』(푸른책들) 출간.
2005년	동화집『팔만대장경 속 열두 동물 이야기』(보물창고) 출간.
	장편동화『밤티 마을 봄이네 집』(푸른책들) 출간.
2006년	동화집『금단현상』(푸른책들) 출간.
	청소년소설『주머니 속의 고래』(푸른책들) 출간.
	창작이론서『동화창작교실』(푸른책들) 출간.
2008년	동화집『선생님은 나만 미워해』(보물창고) 출간.
	청소년소설『벼랑』(푸른책들) 출간.
2009년	동화집『선생님이랑 결혼할래』(보물창고) 출간.
	장편동화『첫사랑』(푸른책들) 출간.
2010년	동화집『싫어요 몰라요 그냥요』(푸른책들) 출간.
	청소년소설『우리 반 인터넷 소설가』(푸른책들) 출간.
	청소년소설『소희의 방』(푸른책들) 출간.

2012년	동화집 『사료를 드립니다』(푸른책들) 출간.
	청소년소설 『신기루』(푸른책들) 출간.
2013년	청소년 소설 『얼음이 빛나는 순간』(푸른책들) 출간.
2014년	청소년 소설 『숨은 길 찾기』(푸른책들) 출간.
	소설집 『청춘기담』(사계절출판사) 출간.
2016년	장편소설 『거기, 내가 가면 안 돼요?』(사계절출판사) 출간.
	창작동화 『하룻밤』(사계절출판사) 출간.
2019년	창작동화 『내 이름을 불렀어』(해와나무) 출간.
	창작동화 『망나니공주처럼』(사계절출판사) 출간.
2020년	장편소설 『알로하, 나의 엄마들』(창비) 출간.

수상

2007년	소천문학상, 동화집 『금단현상』.
2011년	윤석중문학상, 동화집 『사료를 드립니다』.
2017년	방정환문학상, 『하룻밤』.
2018년	IBBY 아너리스트 글 부문 선정, 장편소설 『거기, 내가 가면 안돼요?』.
2020년	국제 한스 크리스티안 안데르센상 한국 후보 지명.

이묘신

ㄴ에게 보내는 러브레터

1. 어떻게 작가가 되었나

"어떻게 작가가 되었나요?"

작가라면 이 질문을 피해가지는 못할 것이다. 어떤 자리에서나 불쑥불쑥 나오는 질문 중의 하나일 테니까.(그러니 예비 작가들은 미리미리 준비해 두시길) 사실 작가의 작품보다 더 뛰어난 작품이 이 질문에 대한 답이 아닐까. 더 궁금하고 더 흥미롭고 때론 더 감동적일 수 있기 때문이다.

그럼 이묘신은 어떻게 작가가 되었을까?

이묘신을 작가로 인도한 건 3가지의 필요충분조건이 작용했다. 첫째, 이천이라는 고향. 둘째, 그의 옆집에 명옥 언니가 살았다는 사실. 그리고 마지막으로 그 언니가 글을 잘 몰랐다는 것이다.

때는 바야흐로 묘신이 초등학교 5학년을 견디고 있을 무렵이었다. 그의 고향 이

천은 도자기로 유명했다. 그러므로 집 가
까운 곳에 도자기 공장이 있었다. 가난한
명옥 언니는 학교를 제대로 다니지 못하
고 도자기 공장에 취직해 돈을 벌어야했
다. 명옥 언니는 그곳, 도자기 공장에서
한 남자를 만나 사랑에 빠지고 연애편지
를 주고받으며 서로의 마음을 전하게 된
다. 이때 맞춤법도 잘 알지 못하는 명옥
언니는 묘신이 작가가 되는 결정적인 요인으로 작용한다. 묘
신은 명옥 언니의 연애편지를 대필해주는 일을 맡게 된 것
이다.

"오빠, 안녕하세요?"

한 줄 부르고 나면 그 뒤를 어찌 이을지 몰라 쩔쩔매던 명
옥 언니, 남의 아픔을 자신의 아픔처럼 생각했던 묘신은 그
런 명옥 언니를 안심시키며 어떻게 하면 연애편지를 잘 쓸
수 있을까를 생각한다. 명옥 언니 남자 친구가 군대에 가면
서 연애편지를 쓰는 횟수는 더욱 늘어난다. 어린 묘신은 어
른들의 사랑을 알 수는 없었지만 타고난 책임감과 성실함으
로 최고의 연애편지를 쓰기 위해 고민의 나날을 보낸다. 그
일로 밤을 넘기는 날이 많았으며 책상 앞을 떠나지 못한 묘
신. 내가 명옥 언니라면 어떤 말을 하고 싶을까? 내가 명옥
언니의 남자 친구라면 또 어떤 말을 듣고 싶을까? '내 안에
너 있다.' 유명한 드라마 대사처럼 어린 묘신은 하루에 열두

번도 넘게 명옥 언니가 되었다가 명옥 언니의 남자 친구가 되었다가를 반복하며 그들의 마음을 짐작해본다. 그리고는 사회공책이고 국어공책이고 종이만 보이면 그 마음을 쓰고 지우고를 반복한다. 책상에 앉아 무언가를 열심히 하는 묘신을 본적 없었던 가족들은 드디어 공부에 흥미가 붙었구나, 칭찬하며 기뻐했다고 한다.

묘신은 사실 공부에 별 관심이 없었다. 그런데 연애편지 대필은 달랐다. 괜히 얼굴이 붉어지고 가슴이 콩닥거리며 철렁 내려앉고 붕 떠다니는 듯한, 이 알 수 없는 속도감과 아찔함이 그냥 좋았다. 그럴수록 연애편지 대필에 점점 빠져들게 되고 멋진 말을 만들기 위해 고민하는 동안 묘신도 중학생이 되었다.

"묘신아, 넌 어떻게 내 마음을 이렇게 잘 알아."

명옥 언니는 이제 묘신에게 제 마음을 불러줄 필요도 없었다. 묘신이 명옥 언니의 마음을 보고 쓴 것처럼 완벽한 연애편지를 써주었고 명옥 언니는 우편배달부가 전해준 남자 친구의 답장을 읽으면 되었다.

그러던 어느 날 다락방에서 묘신은 엄청난 참고자료를 발견하게 된다. 그것은 바로 아버지가 군대에서 엄마에게 보낸 연애편지 박스였다. 수백 통의 연애편지는 소설책에서 베껴 쓴 구절보다 훨씬 아름다웠으며 한 편의 시보다 더 강렬했다. 묘신은 그 편지의 내용을 인용하고 때론 요약하고 표절했다. 날이 갈수록 묘신의 연애편지는 질적 양적 성장을 거

듭한다. 그러나 날이 갈수록 명옥 언니의 남자 친구 제대 날
이 가까워졌고 제대를 하고부터는 연애편지를 쓰고 읽는 시
간보다 함께 지내는 시간을 더 좋아했다.

결론은 해피엔딩이었다. 그 편지 덕분에 두 사람은 결혼을
하게 되고 묘신은 명옥 언니로부터 손수 만든 도자기를 선물
로 받게 된다.

"묘신아, 그때 그 연애편지 네가 썼다고 말하면 절대 안 돼.
네 은혜 잊지 않을게."

명옥 언니는 따로 묘신을 불러 이런 말도 남겼다. 그때 기
분이 어땠을까? 둘이 잘 되었으니 기뻤을 것이다. 그러나 한
편으론 가슴이 싸하게 아파왔을 것이다. 출근했다가 퇴직자
명단에서 자신의 이름을 발견했을 때의 기분? 우리 이제 헤
어져, 열렬히 사랑한 사람에게서 카톡으로 받은 이별 통보?
다르지 않았을 것이다. 연애편지 대필가에서 잘렸고 그 일은
묘신이 세상 무엇보다도 좋아하고 행복했던 일이었으니 상
실감이 얼마나 컸을지는 짐작하고도 남는다.

2. 이묘신에게 연애편지란?

"네 은혜 잊지 않을게."

그러나 다시 짚어보자. 묘신이 이천에서 태어나지 않았고
이천이 도자기로 유명하지 않았고 그래서 도자기 공장이 없

있다면? 명옥 언니의 남자 친구는 그 공장을 다녔을까? 그 옆집에 사는 명옥이 언니가 가난하지 않았고 그래서 학교를 다녀 공부를 잘했다면? 편지를 대신 써달라고 했을까? 입은 삐뚤어졌어도 말은 바로 하자. '은혜'는 바로 묘신이 명옥 언니에게 갚아야 할 것이다. 그 연애편지가 어쩌면 오늘의 이묘신 작가라는 이름표를 달아줬기 때문이다.

명옥 언니의 연애편지가 이묘신의 삶을 어떻게 바꿔놓았는지 차근차근 살펴보자.

어린 묘신은 연애편지를 쓰며 폭넓은 세상을 경험했다. 또래가 경험하지 못한 것, 작가에게 경험이 얼마나 큰 재산인지는 두말 할 필요도 없다. 게다가 그 편지를 쓰는 동안 가난해서 학교를 다니지 못한 명옥이라는 캐릭터와 고향을 떠나 도자기 공장에 다니는 오빠 등 다양한 인물들의 삶을 들여다보게 된다. 한 인물에 대한 깊은 관찰은 그 인물이 처한 현실을 대신 경험하는 것과 같다. 묘신은 일찌감치 중심이 아니라 우리 주변의 다양한 삶에 관심을 갖게 되는데 훗날 묘신의 글 속에 등장하는 가난하지만 따뜻한 이웃들의 모습으로 생생하게 그려지기도 한다. 어쩌면 주변 인물을 지나치지 않고 자세히 들여다보는 습관이 그때부터 훈련된 것이 아닐까 싶다.

연애편지는 그 어떤 글보다도 인간의 감성을 흔드는 글이다. 미묘하면서도 치밀한 심리전이 오가며 그 속에서도 서로의 마음을 움직이게 하는 섬세한 무엇이 있어야 한다. 지나

치지도, 모자라지도 않은 감정의 완급을 조절했을 때 더 절절하고 애가 타는 것이다. 묘신은 이런 절제의 감정을 자기 시에 들이대며 반성하기도 한다. '난 꼭 마지막 연을 군더더기로 붙여놓더라.' 수년간 연애편지를 쓰며 스스로 자기 시의 군더더기를 찾아내는 눈이 생긴 것이다. 더구나 쓴다는 것, 그 자체가 묘신에게는 습작의 시간이었다. 오늘의 편지는 어떻게 시작을 할까? 어떻게 끝을 맺을까? 이런 고민을 통해 작품을 어떻게 배열할 것인지 구성을 고민했으며 첫 시작을 통해 독자들의 시선을 처음부터 사로잡는 방법을 연구한 것이다.(물론 그땐 그것이 문학 수업에 어떤 도움이 되었는지 전혀 알 수 없었겠지만) 어찌 보면 명옥 언니는 묘신에게 혹독한 글쓰기를 가르친 스승이나 다름없다. 작가에게서 가장 중요한 게 뭘까? 사물을 바라보는 눈, 그것을 통해 자신을 투영하는 것, 그 투영된 삶을 문학적으로 완성하는 것, 바로 역지사지의 마음이다.

연애편지를 잘 쓰기 위해 묘신은 내가 명옥 언니라면 무슨 말이 하고 싶을까? 내가 명옥 언니의 남자 친구라면 무슨 말이 듣고 싶을까? 여기서 이묘신은 벌써 작가와 독자의 위치를 정확하게 파악한 것이다. 작가는 하고 싶은 말을 하고 독자는 듣고 싶은 말을 읽는다. 작가가 하고 싶은 말이 곧 독자가 듣고 싶은 말일 때 우리는 교감이라는 문학적 감동을 느낀다. 명옥 언니의 결혼은 어쩌면 이묘신의 연애편지가 준 교감 덕분일 것이다.

더구나 명옥 언니는 이묘신에게 연애편지를 대신 쓰게 함으로서 자신도 몰랐던 재능을 찾게 해준 은인이다.

"묘신아, 넌 어떻게 내 마음을 이렇게 잘 알아?"

그 말에 묘신은 용기를 얻었을 것이다. 어렴풋이 내가 글을 좀 쓰나?라는 자신감도 생겼을 것이다. 연애편지를 쓰기 위해 읽었던 아버지의 연애편지 또한 묘신의 정신을 살찌우는데 일조했을 것이다. 세계 모든 연애편지의 공통 주제가 뭘까? 믿음, 사랑, 이해, 양보, 배려. 여기에서 벗어나지 않을 것이다. 묘신은 연애편지를 쓰고 읽는 동안 자기도 모르게 따뜻하고 뜨거운, 그러면서도 상대에 대한 배려와 사랑, 뭐 이런 비슷한 감정들을 자연스럽게 채득했을 것이다. 뒤에 언급하겠지만 그의 시를 관통하는 배려와 사랑이 어쩌면 이 연애편지에서 배운 것이 아닐까라는 생각이 든다. 그러니 글을 잘 몰랐던 명옥 언니가 옆집에 살았다는 사실을 두고두고 고마워해야할 것이다.

3. 몽골의 사막에 뿌린 눈물

드디어 작가가 되었다. 2002년 MBC 창작동화대상에서 단편동화 「꽃배」로 당선되고 2005년 동시 「애벌레 흉터」 외 5편으로 제3회 푸른문학상을 받는다. 이묘신 작가가 얼마나 기뻐했을지 상상이 가고도 남는다. 그러나 기쁨은 짧고 고민만 길어지는 게 작가의 현실이었다. 등단만 하면 세상이 이묘신이라는 이름을 기억해 줄 거라고 믿은 건 아니었다. 드러내고 나서는 것보다 있는 듯 없는 듯 그냥 열심히 쓸 뿐이었다. 행복했지만 불안했다. 지금 내가 쓰고 있는 게 맞는 걸까? 다른 작가들의 작품을 읽으니 더 불안했다. 난 언제 쯤 이렇게 잘 쓸까? 열심히 쓰고 지우고 또 쓰는 나날이었다. 명옥 언니의 연애편지를 대신 써줄 때와는 달랐다. 그땐 즐겁고 마냥 좋았는데 지금은 책임감이 따랐다. 한 줄을 써도 이게 걸리고 저게 걸렸다. 몇 날을 쓰고 고쳐도 차마 완성이라는 말이 나오지 않았다. 쓰긴 쓰지만 지금 가고 있는 길이 바른 길인가에 대한 의구심, 누구나 그랬겠지만 소심하고 여린 이묘신 작가는 작가로 내딛는 모든 걸음이 무섭고 두려울 뿐이었다. 쓴 시를 누구에게 보일 용기가 없고 도움을 청할 만큼의 배짱도 없었던 그는 식구들이 둘러앉은 아침 식탁에서 신문 읽듯 시를 읽어주고 격려 받을 뿐이었다.

2007년 7월, 이묘신 작가는 문우들과 함께 몽골을 여행하게 된다. 그때 나는 이묘신 작가와 일주일을 넘게 같은 방을 썼다.

"화장실 먼저 쓸래?"

"아니, 언니가 먼저 써."

조금의 예의와 격식을 차려야하는 딱 그만큼의 친한 사이였다. 그러나 몽골에서 흘린 눈물, 그 눈물 번진 얼굴로 같이 웃던 밤을 보내고서는 나와 이묘신 작가는 '우리'라는 일인

칭 대명사로 자주 엮었다.

"등단 한 지 5년이 넘었는데 내가 뭘 했나 싶어. 이 일을 계속 해야 할까 싶기도 하고."

이렇게 시작 된 그의 말을 들으며 나 또한 게으른 나를 반성했다.

"내가 말한 걸 다 썼으면 책장 하나 채우고도 남았어. 늘 쓴다, 쓴다 말 뿐인 내가 더 한심해."

"그래도 넌 시집이라도 나왔지. 난 아직 내 이름으로 된 책 한 권이 없다."

참나, 그 말이 더 부끄러웠다. 92년 등단하고 15년 동안 딸랑 2권의 시집이 전부였던 나였다. 한참동안 우린 문학의 길로 접어든 게 옳은가 신세 한탄을 하다가 급기야는 스스로를 질책하며 물기 한 점 없는 몽골의 사막에 눈물을 보태주었다. 서럽고 한심하고 그러면서도 알 수 없는 억울함에 좀처럼 눈물이 그치지 않았다. 그때 이묘신 작가가 훌쩍이며 말했다.

"나는 평생 남한테 나쁜 짓도 안하고 살았는데 왜 이렇게 되는 일이 없냐?"

그러면서 시어머니 이야기를 꺼냈다.

"내가 기도를 참 많이 하거든. 우리 어머니 돌아가셔서 절에 모셨는데 갈 때마다 기도를 해. 어머님. 저 글 잘 쓰게 해 주세요. 저 꼭 책 나오게 해 주세요. 그런데 들어주질 않으셔. 내가 잘못한 것도 없는데 말야. 글도 안 되고 써 봐도 별 신통찮고 그럴 때 가끔 투덜거렸지. 글 좀 잘 쓰게 해 달라고. 그런데 곰곰이 생각해보니 이유가 있더라구."

"무슨 이유?"

"그러니까. 우리 어머님이 한글을 몰라요. 쓸 줄도 읽을 줄도. 그러니 며느리한테 글 쓰는 재주를 주고 싶어도 뭘 알아야 해주지. 내 기도 들으며 못해주는 울 어머님 마음은 얼마나 아프셨을까."

그 말을 듣고 나는 이묘신 작가의 손을 덥석 잡았다.

"언니, 언닌 정말 멋진 작가가 될 수 있어. 언니 지금 이 이야기 그대로 써봐. 완전 대박. 반전에 감동까지. 완전 훌륭해."

아직 우리의 눈에는 눈물이 얼룩덜룩 묻어있었다. 그러면서도 배꼽을 잡고 웃었다.

"정말?"

"응. 언니 소재 고르는 눈 있다. 정말 훌륭한데."

"난 그냥 하도 답답해서 그렇겠구나, 했는데."

"언닌 완벽한 작가의 기질을 가지고 있어. 남의 마음을 헤아릴 줄 아는 거. 언니는 위로를 주는 글을 써. 그게 언니의 장점이잖아."

"그래?"

서로 껴안고 웃고 울고 또 울고 웃으며 몽골의 밤을 보냈다. 그날 밤 했던 다짐들. '이제 정말 열심히 쓸 거야.'

그 다짐은 매년 새해가 되면 또 다시 등장하지만 그래도 그런 다짐을 하며 살아가는 삶을 후회하지는 않는다는 이묘신 작가.

4. 딱 이묘신다운 이묘신의 시

그의 시는 어떨까? 한 마디로 요약하면 소박하면서도 따뜻하고 따뜻하면서도 깊고 깊으면서도 뭉클하다. 딱 이묘신다운 시들이다. 그런데 본인은 이런 평가를 좋아하지 않는다. 난 왜 날카롭지 못할까? 난 왜 엉뚱하고 기발하지 못할까? 난 왜 현실 고발적인 시를 못쓸까? 왜 나는 아프고 소외된 곳에만 시선이 갈까? 왜 잘난 아이보다 부족하고 여린 아이들에게 마음이 갈까? 힘없고 약한 것들에게 손을 내밀까? 본인이 더 잘 알고 있으면서도 늘 이런 고민에 빠진다. 언젠가 스스로의 시를 읽으며 결핍이 없어 결핍이라고 했다. 늘 비슷한 시만 쓰는 것 같다며 생활 동시에 주력하고 있는 자신의 삶이 너무 단조롭고 편안해서 그런가? 사물을 좀 삐딱하게 볼 줄도 알아야하는데 그게 잘 안된다며 한 말이었다.

이묘신은 자신의 시가 얼마나 많은 이들에게 위로가 되는지 잘 모른다. 많은 이들에게 반성과 깨달음을 주는지도 모른다. 웃음을 주고 용기를 주는 줄도 잘 모르는 것 같다.

민식이는
자기 자전거가 있다
자기 컴퓨터도 있고
자기 방도 있다

형이 있는 나는
같이 쓰는 자전거가 있고
같이 쓰는 컴퓨터가 있고
같이 자는 방이 있다

민식이는 혼자라 엄마도 혼자 차지하고
우리는 둘이라 엄마도 나누어 가진다
그런데도 민식이는
형이 나를 찾으러 올 때마다
부러운 눈으로 우리를 본다.

– 「내가 왜 부럽지?」 전문

　이 시에 나오는 화자처럼 말이다. 민식이에게는 없는 형, 형의 존재 자체가 부러움이 되듯 이묘신의 생활 속에서 소소한 일상을 따뜻하게 담아내는 그 재주 자체가 다른 작가들에게 부러움이 될 수 있다. 이묘신은 남다른 관찰력이 있다. 눈에 잘 안 보이는 것, 지나쳐 버리는 소소함까지도 놓치지 않고 찾아낸다. 찾아내기만 한 게 아니라 어루만지고 빛나게 한다.

꽃 가게 앞 길가에
민들레꽃, 냉이꽃이
다복다복 다보록

어쩌면 저리 환하고 예쁠까?

가게 문 열고 한참이나
꽃에게 눈길 주는 꽃 가게 아줌마

아줌마는 가게 안의 꽃들만
키운 게 아니었다.

「꽃 가게 아줌마」 전문

　꽃 가게 아줌마의 모습에서 이묘신 작가의 모습이 겹쳐 보인다. 가게 안의 꽃들보다 더 사랑스럽게 바라보고 있는 눈빛과 행여 다칠까 걱정스러운 마음으로 지켜보는 그 모습까지 눈에 선하다. 꽃 가게 꽃들보다 그래서 더 빛나고 소중하게 보이는 민들레와 냉이꽃. 이묘신이 담고 싶은 것들이 바로 이런 것들이고 그곳에 마음이 가는 것이다. 두 번째 시집의 표제작 「너는 1등 하지 마」에서도 이묘신 시의 특징은 그대로 전해진다. 언제나 1등인 친구를 보면 어떤 기분이 들까? 부럽고 얄밉기까지 하다. 거기다 엄마가 비교라도 하면 꼴도 보기 싫어질 것이다. 이 시에 나오는 화자는 늘 1등 하는 친구를 곁에 두고 있다.

너는 1등 하지 마
그 자리 놓칠까 봐 늘 불안해

  화자는 친구가 부러운 것 보다 지나가는 말로 툭 던진 이
말이 종일 마음에 걸린다. 이 말하며 웃음기 없던 친구의 얼
굴과 힘없던 목소리가 자꾸 떠오른다. 친구 걱정으로 안절부
절 못하는 화자의 모습, 말 안 해도 알 것이다. 이렇게 다른
사람의 마음을 어루만지고 늘 배려하다보면 가끔은 마음과
다른 소리를 할 때가 있다. 그러나 이묘신은 그것조차 되짚
을 줄 아는 섬세함이 있다.

서울 큰아빠가 내려온다고 전화했다
–기름값도 비싼데 뭘 오냐
할머니가 그러니까 진짜로 오지 않는다
                                        – 「빈말」 중 일부

–너 나 좋아하지?
민아가 묻는데 아니라고 했더니
팩 돌아서 가 버린다
                                 – 「남의 속도 모르고」 중 일부

남의 속을 너무 잘 아는 이묘신의 시집은 그래서 다 읽고 나면 따뜻하고 소박하고 뭉클하다.

5. L에게 보내는 러브레터

어떤 시인이 말했다. 사람이 온다는 건 실은 어마어마한 일이라고, 그의 과거와 현재와 미래가 함께 오기 때문이라고, 하여 한 사람의 일생이 오기 때문이라고. 그 어마어마한 인연으로 이묘신 시인과 나는 동시대를 살고 있다. 하고 많은 일 중에 문학이라는 울타리 안에서 만났고(그런 의미에서 명옥 언니는 내게도 고마운 은인이다) 그 울타리 안의 수많은 사람 중에서도 아끼고 좋아하고 따르고 싶은 관계로 살아가고 있다. 열정을 나누고 위로를 건네며 질책조차 기쁘게 받아들이는 벗이 있다는 건 힘나고 신나는 일이다.

하여 이묘신 작가가 있는 한 문학 속에서 행복할 것 같다. 흔들릴 때마다 몽골의 사막에서 했던 다짐을 꺼내볼 과거가 있고 여전히 함께하는 현재가 있고 잘 가고 있는 건가? 옆길로 빠져 헤맬지언정 함께 걸어갈 미래가 있기 때문이다.

— 《열린아동문학》, 2017, 가을.

모퉁이

꼬리가 잘 따라오는지
궁금했던 기차는

모퉁이를 돌아갈 때
슬쩍 뒤를 돌아본다

미안해 거미야

나무 아래 지나가다
거미줄에 걸렸다

얼굴과 머리에 붙은 거미줄
짜증내며 떼어냈다

나는 오늘
남의 집 한 채를 부쉈다

고 작은 씨앗이

씨감자 심은 곳에
기다려도 싹이 나오지 않아
상추씨를 심었다

– 어? 이게 뭐지?

며칠 지나자
상추 싹과 감자 싹이
같이 나왔다

고 작은 상추씨가
늦잠 자는 씨감자를 깨워
사이좋게 나왔다

▌이묘신 연보 ▌

1967년 경기도 이천 출생. 셋째 딸로 태어남.

1974년 초등학교 입학. 세계명작동화는 없어서 못 읽었지만, 온 들판을 뛰어다니며 자연을 읽고 자람.

1978년 5학년 드디어 다른 사람의 연애편지를 대필. 편지를 잘 쓴다는 칭찬이 작가를 꿈꾸게 함.

1980년 중학교 1학년, 반대표로 시화전에 뽑히면서부터 시인이 된 것처럼 낙엽을 보며 감상에 빠짐.

1987년 대학교 1학년, 전공과는 전혀 상관없는 문예창작 모임을 기웃거리며 시를 씀. 시보다는 낭송을 더 잘한다는 소리를 들음.

1991년 이천에서 결혼하고 청주로 주거지를 옮김. 친구라곤 라디오밖에 없었고 그때부터 라디오 방송국에 편지를 보내며 하루일과를 마침.

2002년 그 편지로 다져진 문장력으로 MBC창작동화대상 공모에 단편동화 「꽃배」를 썼고 드디어 글을 써서 상금을 받음.

2005년 「애벌레흉터」 외 5편으로 푸른문학상 새로운 시인상 수상.

2006년 동시집 『강아지 우산 나와라』(푸른책들, 공저) 출간.

2010년 동시집 『책벌레 공부벌레 일벌레』(푸른책들) 생애 첫 동시집 출간.
동시 「응, 그래서?」가 초등학교 3학년 2학기 국어책에 수록되는 영광에 오랫동안 행복함.

2011년 《새싹문학》 115호 '주목받는 신예작가'에 소개됨. 한 번도 주목받은 생이라고 생각한 적 없는데 조금씩 자존감이 살아남.
서울문화재단 문학창작활성화지원사업 선정. 그 기념으로

나에게 그림을 선물함.

2012년 《오늘의 동시문학》 '이 작가를 주목한다'에 소개
동시집 『너는 1등 하지 마』(크레용하우스)를 내며 이 말을 내 인생의 모토로 삼음. 이등의 행복함.

2013년 동시집 『너는 1등 하지 마』 우수문학도서 선정.

2015년 그림책 『우물우물 임금님』(그레이트키즈) 출간.

2016년 당시 고등학교 1학년인 아들의 연애사를 듣다가 쓴 『내 짧은 연애 이야기』(청소년시집)가 우수출판콘텐츠 제작 지원 사업 선정됨.
인성 동시집 『누구 고집이 더 센지』(크레용하우스, 공저) 출간.
동시집 『우리 풀, 우리 꽃』(섬아이, 공저) 출간.
동시집 『우리 절기』(섬아이, 공저) 출간.
그림책 『후루룩후루룩 콩나물죽으로 십 년 버티기』(아이앤북) 출간.
청소년시집 『내 짧은 연애 이야기』(크레용하우스) 출간.

2017년 동시집 『우리 꽃, 우리 나무』(섬아이, 공저) 출간.
여행이 취미가 되고, 취미가 책이 되고, 책이 돈이 되는 여행 에세이 『발트의 길을 걷다』(책담, 공저) 출간.

2019년 마음 맞는 동시인들과 놀고 읽고 쓰며 기획한 동시집 『똑똑 마음입니다』(뜨인돌어린이, 공저) 인세가 들어올수록 여행을 꿈꾸게 됨.
동시집 『오늘은 어떤 놀이 할까』(크레용하우스, 공저) 출간.
동시집 『안이 궁금했을까 밖이 궁금했을까』(청년사) 출간.
첫 동화책 『강아지 시험』(해와나무)을 내고 혼자 대견해 함.
사진동시집 『마법 걸린 부엉이』(브로콜리숲) 출간.
동화책 『잘 들어주는 개』(해와나무, 공저) 출간.
『안이 궁금했을까 밖이 궁금했을까』로 제13회 서덕출문학상 수상. 자존감 완전 뿜뿜.

2020년   네팔을 여러 차례 다녀오고 그곳 사람들의 이야기를 씀. 여
행에세이 『비스따리 비스따리』(책담, 공저) 출간.
생애 첫 창작그림책 『쿵쾅! 쿵쾅!』(아이앤북) 출간. 또 다른 대
견함이 밀려옴.
『쿵쾅! 쿵쾅!』 문학나눔 선정.
안전 동시집 『걱정이다 걱정』(뜨인돌어린이, 공저) 출간.
사랑 동시집 『내 마음에 사랑이 다닥다닥』(뜨인돌어린이, 공저)
출간.
어린이 인문학 여행서 『떠나자! 그리스 원정대』(크레용하우스,
공저) 출간.
지금도 그냥 열심히 놀고, 열심히 살고, 열심히 읽고 쓰며, 잘
살려고 노력.

정진아

반전이 주는 재미,

그 끝은 아직 아무도 모른다

"정말?"

"진짜?"

"아~!"

만나서 이야기를 나눠보면 알 것이다. 그녀가 정말 자주 쓰는 말이다. 모르는 사실을 접할 때 그녀는 눈을 동그랗게 뜬다.

"정말?"

신기하고 재미있어 죽겠다는 표정으로 깔깔거린다. 만약 그 옆에 앉아있다면 어깨 한 쪽이나 등짝은 그녀의 흥분된 감정 조절을 위해 손바닥 장단에 맞을 준비를 하는 게 낫다.

믿기지 않는 말을 들을 때도 침을 꼴깍 삼키며 되묻는다.

"진짜?"

그 표정은 친구 호주머니에 구슬이 몇 개가 들어있는지 궁금해서 죽을 표정을 짓는 개구쟁이 아이같이 귀엽다.

"아~!"

수긍되고 공감될 때 그녀는 긴 장단으로 오래오래 고개를

끄덕인다. 가끔 눈물을 찔끔거리기
도 하고 너무 웃어 주변의 핀잔을
받기도 한다. 또한 역하게 분노하
여, 얻어맞고 온 동생을 대신해서
짱돌을 잡는 허삼관의 첫째 아들
일락이처럼 주먹을 쥐기도 한다.

 하여 그녀를 정리하자면 세상일
에 호기심 많은 개구쟁이 소년? 아
니 자기 멋에 빠져 자기를 한없이
사랑하는 솔직담백한 소녀? 이 둘의 중간쯤에 시인 정진아
가 서 있다.

 아직도 그녀에 대해 잘 모르겠다싶은 분들을 위해 그녀와
함께 떠난 몇 편의 드라마 같은 여행이야기를 풀어놓을까 한
다. 그녀와 나는 여행이라는 연결고리로 만났다. 물론 서로
시를 쓰고 있었지만 그땐 시인이라고 할 수 없었다. 등단이
무슨 청약적금이라도 되는 듯 일찌감치 해놓고는 (1988년《아
동문학평론》신인상) 20년 넘게 푹 묵혀놓았다가 2008년 첫 동
시집을 낸 그녀, 나또한 등단 11년 만에 첫 동시집을 냈으니
급한 성격과 파르르 하다가 피시식 식고 마는 냄비근성이 똑
같다. 닮을 게 없어 참 별걸 다 닮는다.

 그런 그녀와 2007년 여름 몽골 사막에서 함께 지내게 되
었다. 그녀의 첫 느낌은 상큼했다. 뭐가 그리 웃긴 지 웃음소

리가 유난히 컸는데 목소리가 맑고 쾌청했다. 분절음의 짤막짤막한 말투가 가끔 오해를 불러일으킬 만도 했지만 하얀 이를 드러내며 웃는 모습은 사막에 핀 꽃처럼 앙증맞고 귀여웠다. 저 나이에 저렇게 귀여울 수 있을까 하며 나는 그녀를 계속 웃겼고 그녀는 보답처럼 목젖이 보일 정도로 유쾌한 웃음을 선물해 주었다.

놀라운 건 그녀의 현지 적응능력이었다. 음식이 통 입에 맞지 않아 10일 가까이 다이어트 아닌 다이어트를 하게 되었는데 그녀는 고비사막을 넘어 원나라로 끌려온 고려어인의 후손이나 된 양 너무나 몽골스러웠다. 모래바람을 견디기 위해 스카프로 온몸에 휘감은 모습도 이국적이었으며 말 젖으로 만든 몽골의 전통주인 아일락(마유주)이 맛있다고 입맛을 쩝쩝거렸다. 그뿐인가? 에어컨이 고장난 중고 일본산 버스가 끝내 사막 한가운데서 멈췄을 때 우환 닥친 얼굴을 한 일행과 달리 그 특유의 호기심어린 눈빛을 하고 카메라 셔터를 눌러댔다. 누린내가 역한 양고기를 일마치고 돌아온 사냥꾼처럼 게걸스럽게 뜯었으며 모든 일행을 경악케 한 '주유소 아이스크림 습격사건'은 몽골 여행 먹방의 종지부를 찍었다.

사막을 몇 시간 달리던 일행이 허기와 더위에 지칠 때쯤 사막 한 가운데 수용소 같은 가건물의 주유소를 발견했다. 그곳에서 아이스크림을 판다는 말을 듣고 달려갔다. 모양도 크기도 우리나라 아이스크림과 다를 게 없어 의심할 여지없이 크게 한 입 베어 물었다. 일행은 동시에 베어 문 아이스크림을 바닥에 뱉어버리며 캑캑거렸다. 그 때 우리를 바라보던 몽골 아이들의 눈빛, 일행 중 누군가가 말을 했다.

"저 아이들은 먹고 싶어도 못 사먹는데 너무 미안하잖아, 버려도 좀 멀리 가서 버리자."

모두 '그러마' 했다. 동작 느린 나는 이제 입에 넣었는데 삼키지도 뱉지도 못하고 역한 냄새에 속까지 울렁거려 얼굴이 허옇게 변해갔다. 그런 내 옆에서 그녀가 말했다.

"맛있기만 하네. 계속 먹어봐 고소하고 시원해."

고소하다? 정확히 말하면 아기 젖 토한 냄새처럼 시큼털털한 맛에 상한 우유를 뒤집어 쓴 것처럼 역하고 찝찝한 맛이었다. (몽골 아이스크림을 사랑하는 분들에게는 죄송한 표현일 수도) 그녀가 막대기에 묻은 단맛까지 핥을 때 우리는 경의의 박수를 보냈다.

하지만 다시 생각해보면 그녀는 여행의 진정한 고수였다. 완벽하게 현지적응을 통해 그곳 사람들의 삶을 짧게나마 체득하고 싶었던 것, 그게 그녀의 여행목적이기도 했다.

얼마 전에는 그녀와 함께 시베리아 횡단열차를 탔다. 그 전에는 네팔 히말라야 산마을도 같이 다녀왔다. 함께 하면서 계속 놀라는 건 그녀는 노는 데 천재라는 것이다.

아이들처럼 심심한 겨를이 없다. 여럿이서도 잘 놀지만 혼자서도 잘 논다. 모르는 사람과도 잘 어울리고 여행지에서 만난 아이들과도 어느 새 친구가 되어있다.

바이칼 호수가 있는 알혼(Alhon)섬에서 묵을 때였다. 새벽 1시가 지났는데 그녀와 같은 방을 쓰던 한상순 시인이 2층 내 방으로 건너왔다.

"정진아 찾아봐. 정진아가 없어."

별 보러 간다고 나가서 돌아오지 않으니 혼자 속을 끓이다 우리 방에 도움을 청한 것이다. 놀란 나는 이묘신 시인과 옷을 주섬주섬 챙겨 입고 마당을 나왔다. 7월의 밤이었지만 시베리아의 밤이었고 백야여서 그리 어둡지는 않았다. 그래도 낯선 곳에서 사라진 그녀의 종적이 걱정스러워 이빨이 달달 떨렸다. 넓은 마당을 둘러보고 화장실을 살피고 마당 옆에 채소밭까지 훑어보고 골목길까지 기웃거리며 그녀를 찾아다녔다.

마을 개들이 우르르 몰려와 더 멀리는 못나가고 다시 돌아와 마당에서 발을 동동 구르고 있는데 발밑에서 무언가 꿈틀했다. 정진아 그녀였다. 별똥별이 떨어지기를 기다린다며 이불을 돌돌 말아 하늘을 보며 누워있다 깜빡 잠이 든 것이다.

"지금 여기서 뭐해? 얼마나 찾았는데."

속 끓인 게 화가 나 대뜸 소리를 쳤다.

"나 시베리아 별똥별 꼭 보고 잘 거야. 그러니까 먼저 자."

"이러다 감기 걸리면 어쩌려구. 들어가자."

한상순 시인이 걱정스러워 달래고 달래도 꿈쩍도 안하고 고집을 피우는 그녀, 그 전에 별을 기다리며 모두 보드카 한 잔 하고 돌아섰는데 혼자 끝까지 남아 별똥별을 보겠다고 그러고 있었던 것이다. 같이 있어주고 싶었지만 추워서 방으로 돌아올 수밖에 없었다.

"그 고집을 누가 말려. 뭐. 하고 싶은 건 하는 성격이잖아."

이묘신 시인과 나는 그녀의 고집에 절레절레 고개를 흔들었다. 그리고 그녀는 별똥별을 보고 잤다. 별똥별만 본 게 아니라 시베리아 밤하늘에 숨겨놓은 시를 찾아내기도 했다. 누가 뭐라던 하고 싶은 일은 하고야 만다는 걸 알기까지는 오랜 시간이 걸렸다.

"먼저 가. 난 천천히 갈 게."

이젠 그녀가 그러면 우린 더 이상 그녀를 기다리지 않는다. 혼자서도 잘 놀다 알아서 제자리로 찾아오기 때문이다. 물론 그녀에겐 둘도 없는 단짝 친구가 있다. 한쪽 어깨를 짓누르는 몸무게를 가졌지만 정말 아끼고 사랑하는 그녀의 친구, 카메라다. 그녀의 카메라도 그녀만큼이나 독특하고 개성이 강하다. 내가 놀고 있는 아이들을 찍고 있을 때 그녀는 혼자 쪼그리고 있는 아이에 셔터를 누르고, 내가 아름다운 바이칼의 저녁놀을 찍고 있을 때 그녀는 그 풍경을 찍고 있는 내 뒷모습을 찍고 있다. 쭉 곧은 알혼섬의 소나무를 찍고 있을 때 그녀는 그 나무를 타고 오르는 들풀을 찍고, 내가 울퉁불퉁 흙길을 풀 샷으로 찍고 있을 때 그녀는 그 길을 지나가는 이름 모를 벌레를 접사로 찍고 있다. 같은 건 싫다는 거다. 다르게 보고 다르게 생각하기로 작정한 것처럼 찍어놓고 자기가 자기 사진에 반해서 한참을 들여다보고 있다.

그녀의 시가 그렇다. 남들과 다르게 보고 다르게 생각하려 애쓴 그 마음이 고스란히 시에 드러난다. 10년 넘게 만났지만 주눅이 들어있거나 주춤하는 모습을 한 번도 본 적이 없다. 당돌할 만큼 주장이 분명하고 솔직하고 담백하다. 그녀의 시도 그렇다. 『난 내가 참 좋아』 첫 시집의 제목만 봐도 알 수 있다. 너도 아니고 엄마도 아니고 '난 내가 참 좋은' 그녀, 그러니 자기가 좋아하는 일은 또 얼마나 사랑하며 살까? 그 일이 시를 쓰고 시를 읽고 시를 느끼는 일이니 또 얼마나 행복할까?

그런 그녀에게 반전이 있다. 다시 시베리아 횡단열차로 돌아가 보자.

좁고 답답한 기차 안에서 70시간을 넘게 견디다 보면 제일 생각나는 게 과일이다. 오이와 상추 같은 야채는 텀이 긴 정류장에서 쉴 때마다 밭에서 따와 파는 이가 있어 간간히 먹을 수 있었다.

'아, 시원한 수박이나 먹었으면 좋겠다.'며 과일 타령을 하다가 기차가 멈추면 언제 그랬냐는 듯 후다닥 내려 선로 위에서 바람을 맞으며 사진을 찍는 게 일이었다. 역 이름은 생각이 안 나지만 거기에서도 10분의 시간이 있었다. 감옥을 탈출한 죄수처럼 우리는 후다닥 내려 사진 찍기에 바빴다.

그런데 그녀가 선로를 가로질러 어디론가 뛰어갔다. 또 혼자 놀 거리를 찾았겠지 싶어 잡지 않았다. 기차가 막 출발할

즈음 저쪽에서 그녀가 뒤뚱거리며 무언가를 안고 뛰어왔다. 누르팅팅한 바가지 같은, 그것은 러시아산 수박이었다. 시베리아 벌판에서 자란 수박을 시베리아 횡단열차 안에서 먹다니. 그녀가 아니고서는 불가능한 일이었다. 수박 맛은 40평생 먹어본 것 중의 최고였다. 게걸스럽게 먹고 있는 우리들을 바라보며 흐뭇하게 웃고 있는 그녀의 얼굴 속에는 지금까지 한 번도 보지 못한 온화함이 담겨 있었다. 그 표정이 내겐 반전이었다.

그런 그녀의 반전으로 빚어낼 시들은 어떤 모습으로 태어날까? 그녀의 시집 세 권을 읽으면, 그녀가 습관처럼 자주 쓰고 있는 말과 만날 수 있다. '토닥토닥'이다. 그 말처럼 그녀는 아픈 세상을 향해 토닥토닥 할 것이다. 어두운 현실을 토닥토닥 위로할 것이고, 힘없는 아이를 일으켜 세워 토닥토닥 격려해 줄 것이다. 그러면서도 제 갈길 당당하게 가고 있는 자기 스스로에게도 토닥토닥 지칠 때마다 힘을 불어넣을 것이다. 그녀는 충분히 그러고도 남을 것이다. 자기를 좋아하는 만큼 자신이 살아가고 있는 세상을 사랑할 테니까.

— 《열린아동문학》, 2015, 봄.

양달

시린 겨울날,
언니는 동생 손잡고
양달에 와 앉았다.

머리 위부터 발끝까지
골고루 퍼지는
햇살.

"따뜻해."

마주 보며 웃는
언니와 동생
양달에 핀 겨울 해바라기

난 내가 참 좋아

땅콩, 땅꼬마 그렇게 불러도
난
내가 참 좋아.

체육 시간
장애물 통과는
다람쥐보다 빠르고,

줄 설 때,
맨 앞에서
선생님 얼굴 가까이 보고,

책상 아래
쏙, 숨을 수도 있잖아.

땅콩, 땅꼬마 자꾸자꾸 불러도
난
내가 참 좋아

정전이 준 선물

팟!
찾아온 정전에

와글와글 텔레비전, 먹통 됐다.
종알종알 라디오, 말이 없다.
위잉 컴퓨터, 잠들었다.

떠들던 기계들이 입 다문 후
거실 한가운데
졸린 고양이처럼 앉아 있는데

쓰우 쓰우 쓰우
삐이 삐 삐이 삐
호이익 호이익 호이익
들려오는 새소리

순간
우리 집 거실은 초록 숲이 된다.

나는 한 마리 새가 되어
숲을 난다.

1965년 전남 담양의 푸른 대밭에 눈이 내리던 날 태어났다. 손이 귀한 집안에 태어난 첫아기라서 할아버지의 사랑을 듬뿍 받았다. 백일이 채 되기 전에 서울로 이주, 성북구 돈암동을 거쳐 삼선동에서 성장했다.

1972년 초등 2학년, 신장염에 걸려서 2학기는 학교에 다니지 못했다. 매일 병원에 가서 주사를 맞고 약을 먹는 생활이 이어졌다. 치료의 일환으로 무염식을 했는데 맨밥과 생김만 먹는 것은 무척 고역스러웠다.

1973년 초등 3학년, 등교할 때, 햇살이 좋은 아침이면 교실에 들어가지 않고 종종 뒷산에 올라갔다. 맨들한 바위에 걸터앉아서 실눈을 뜨고 햇빛을 바라보며 시간을 보냈다. 수업이 끝나서 아이들이 집으로 돌아가고 나면 아무 일 없었다는 듯 집에 갔다. 어느 날 부모님이 운영하던 가게에 들른 선생님께서 나의 결석에 대해 묻는 바람에 들통 났고, 된통 야단을 맞고 나서부터는 뒷산 나들이를 중단했다.

1974년 초등 4학년, 학예회 때마다 아이들 앞에서 노래했던 경력을 바탕으로 KBS 어린이 프로그램 〈모이자 노래하자〉에 출연했다. 두 달 넘는 기간 동안 방과 후에 남아서 노래 연습을 했다.

1977년 중학교 1학년, 교내 백일장에서 짧아서 쓴 '시'로 상을 받고 시인의 꿈을 갖게 되었다.

1979년 중학교 3학년, 친구들의 요청으로 소설을 연재하기 시작했다. 내가 공책에 써온 소설을 돌려서 읽곤 했다. 팬이 생겼고 때때로 사인을 받아가는 친구도 있었는데, 그럴 때는 우쭐한 기분이 들기도 했다.

1980년 고등학교 1학년, 문예회관대극장(현 아르코 예술극장 대극장)에서 연극을 관람한 이후 연극에 푹 빠져 지냈다. 학교 수업이 끝나면 문예회관(현 아르코예술극장), 실험극장, 샘터파랑새극장, 운현극장, 공간사랑 등 종로구와 중구에 위치한 공연장을 찾아다니며 연극을 봤다. 시와 연극에 푹 빠져서 행복한 시간을 보냈다.

1986년 대학 2학년, 신현득 선생님과 만남이 시작되었다. 열정 넘치는 선생님께서는 매주 토요일 낮 11시, 한국일보사로 찾아오라고 하셨다. 엄명에 매주 선생님을 찾아뵀고 동시를 사사(師事)받았다.

1988년 대학 졸업을 앞둔 여름방학. 아무 것도 이뤄놓은 것 없어 울적해진 나는 부산에 갔다. 부산에 도착해서 집에 전화를 하니, 《아동문학평론》에서 찾는다며 당장 전화를 걸어보라고 했다. 전화를 하니, 신인상에 당선되었다는데, 꿈인지 생시인지 얼떨떨한 기분이 들었다. 당장 당선소감을 써 오라는 말에 그 길로 서울로 왔다. 한밤중에 당선소감을 들고 종암동에 있는 《아동문학평론》을 찾아가 이재철 박사님을 뵈었다. 석용원 시인의 추천으로 《아동문학평론》 동시부문 신인상을 받았다.

1989년 대학원 진학과 취직 그리고 결혼, 이 모든 게 한 해 동안 이뤄졌다. 월간지 《샘이깊은물》의 제호인 샘물체를 디자인한 이상철 대표가 운영하는 '이가솜씨'에서 카피라이터로 일했다. 신참이었지만 한국유리, 대상그룹, 캠브리지 멤버스 등의 광고 홍보 업무를 맡아 일했다. 사회에 첫발을 내딛자마자 눈코 뜰 새 없이 바쁜 나날을 보내게 되었다.

1991년 출산과 대학원 졸업, 만삭 상태에서 3일 밤을 새면서 논문

〈정지용 시 연구〉 최종 교정을 끝냈다. 이때 무리가 되었는지 예정일보다 3주 정도 이른 출산을 했다. 그리고 딱 삼칠일 되는 날, 논문 심사가 있었다. 지도교수는 김남조 시인이셨다.

1992년 방송작가의 길. 1991년 말, 친구의 제안으로 MBC방송아카데미 방송작가과정 1기에 응시했다. 갓난아기를 업고 노원역에서 지하철을 타고 잠실까지 가서 원서를 접수했다. 서류심사, 필기와 면접까지 치르고 합격통지서를 받았다. 자신이 없었는데 의외의 결과여서 무척 기뻤다. 드라마 작가 임충 선생님이 첫 강의 시간에 방송작가는 최소한 30년은 할 수 있다는 말씀을 하셨다. 첫 열정으로 10년, 중견으로 10년 그리고 뒷심으로 10년 해서 30년이라는 말이 씨가 되었는지 30년을 방송작가로 일했다.

2012년 2월 시작해서 2020년 3월 막을 내린 〈EBS FM 詩 콘서트〉는 큰 만족감을 안겨준 프로그램이었다. 배우 강성연, 그룹 브로콜리너마저의 윤덕원, 배우 명세빈, 조안, 정애리. 정말 훌륭한 DJ들과 함께 작업하는 행운도 누렸다. 매일 많은 시를 읽고, 청취자들에게 다양한 시를 소개할 수 있어서 무척 행복했다.

2008년 등단 20년 만에 첫 동시집 『난 내가 참 좋아』(청개구리) 출간했다. 이 책은 문화체육관광부 선정 2008 우수교양도서, 한국동시문학회 선정 2008 올해의 좋은 동시집, 새싹문학 선정 〈화제의 책〉, 경기도학교도서관사서협의회 추천 권장도서로 선정됐다.

2010년 서울 신곡초등학교 방과 후 교사를 시작으로 어린이들에게 글쓰기를 지도했다. 바쁜 가운데에서도 1년 6개월 동안 아이들을 만났다. 이 경험을 바탕으로 전국의 초등학교에서 글쓰기 강연을 하기도 했다. 2019년 '내를건너숲으로도서관'에서 마련한 〈시와 함께 하는 캘리그라피〉 특강도 진행했다.

2011년	문화예술위원회에서 주최한 〈마로니에백일장〉 심사를 시작으로, 2013년부터 현재까지 〈눈높이아동문학대전 어린이 창작동시〉, 당선작을 모아 책으로 출간할 'EBS 라디오×카카오브런치'『나도 작가다』등, 다양한 심사에 참여하고 있다.
2012년	동시집『엄마보다 이쁜 아이』(푸른책들)를 출간했고, 문학나눔 우수문학도서로 선정되었다.
2014년	동시집『힘내라 참외 싹』(도서출판 소야)을 출간했고, 세종도서로 선정되었다.
2015년	동시집『정진아 동시선집』(지식을만드는지식)을 출간했다.
2016년	그림책『빠짝빠짝 꾀돌이 막둥이』(아이앤북)를 출간했다. 첫 그림책이라 남다른 애정을 갖고 있다.
2018년	동시집『오늘은 어떤 놀이 할까?』(크레용하우스, 공저)를 출간했다.
2019년	시에세이『맛있는 시』(나무생각)를 출간했다. 동시집『똑. 똑. 마음입니다』(뜨인돌어린이, 공저)를 출간했다.
2020년	여행에세이『비스따리 비스따리』(천천히 흐르는 네팔의 시간)』(책담, 공저), 동시집『내마음에 사랑이 다닥다닥』(뜨인돌어린이, 공저)을 출간했다. 유튜브를 시작했다. 시가 영혼의 밥이 되어준다는 의미로 〈시밥〉이라는 채널을 개설, 시를 읽어주는 시언니로 활동 중이다. 또한 초단편영화아카데미를 통해 단편 다큐영화를 찍게 되었고 〈나는 이력서를 쓴다〉 감독, 촬영, 출연 등을 맡았다.

한상순

나, 동시 안 썼으면 어쩔 뻔 했니

6층 엘리베이터에서 내리면 훅, 한약 냄새가 날아온다. 휴게실에선 텔레비전이 왕왕거리고 환자복 입은 몇 몇은 휠체어를 탄 채 텔레비전을 보고 있다. 또 몇 몇은 링거를 꽂은 팔을 하고 병실로 돌아가려는 듯 자리를 툭툭 털고 일어선다. 나는 익숙하게 휴게실을 돌아 오른 쪽 복도를 걷는다. 병실에서 흘러나오는 신음소리와 기침소리, 침대 삐거덕거리는 소리를 지나 간호사실 옆 653호실 앞에 멈춘다. 미리 알려준 비밀번호를 누르고 방을 들어선다.

우와~! 비밀의 화원에 들어온 줄 알았다. 작고 앙증맞은 다육이부터 커튼처럼 잎을 치렁치렁 달고 있는 줄기 식물, 선인장에 파키라, 행운목까지 이파리 하나하나가 반짝반짝 생기 돋은 얼굴이다. 반갑고 사랑스럽다.

"먹고 죽을 시간도 없다면서 이런 건 언제 가꾸고 키운대."

혼자 감탄하다가 투덜거리며 자리에 앉는다. 테이블 위에 종류별로 차와 음료를 내어놓고 쪽지까지 한 줄 적어놓았다.

"차 마시며 기다리고 있어. 회의 마치고 올 게."

읽다 급히 나갔
는지 아동문학잡
지가 펴진 채 있
다. 낙서 같은 미
완의 시도 보인
다. 그 모습에 갑
자기 코끝이 찡해
온다.

이 방문을 들어오기 전 세상은 아픈 사람들로 가득한 병동
이다. 방을 들어서면 방 주인장이 제일 좋아하는 소나무 두
그루가 서있는 운동장이 보이고 교복 입은 여학생들의 웃음
소리가 들리는 교정이 창문으로 보인다. 궁금할 것이다. 이
방의 주인장이 누구인지? 생과 사의 점이지대처럼 두 풍경
의 가운데 있는 이 방의 주인장은 간호사 시인 한상순이다.

그녀에 대해 아는 사람은 다 안다. 사람 참 좋다고. 이름만
봐도 그렇다. 한상순, 한상순. 꼭 그 이름만큼 촌스럽고 평범
하고 순하다. 눈꼬리가 밑으로 축 내려와 더 순해 보이고 너
무 잘 웃어 웃음주름이 자글자글하며 눈물은 또 얼마나 많은
지 웃긴 이야기를 들어도 울고, 아픈 이야기를 들어도 운다.
남의 이야기는 또 얼마나 잘 들어주는지 했던 소리 열 번 해
도 처음 듣는 것처럼 판소리 고수가 되어 '음마!', '그렇지', '잘
했네.'하며 추임새도 잘 넣어준다. 같이 있으면 편안하고 투

덜투덜 남 흉을 봐도 뒷말 날까 걱정 없는 속 깊은 사람이다.

그녀는 간호사다. 30년도 넘는 세월을 병원에서 환자들과 함께 지냈다. 간호사가 된 후에 만나서 그런지 간호사만큼 그녀에게 잘 어울리는 직업도 없다는 생각이 든다.

환자들의 목숨을 다루는 일이니 늘 긴장의 연속이다. 선천적으로 착하고 따뜻한 성품에 부지런하기까지 한 그녀는 성실하고 책임감 뛰어난 간호사다. 뼈 속부터 간호사의 정기를 받고 태어난 자신의 운명을 나름 잘 개척했다. 병동을 돌아다닌 그녀의 하얀 간호화가 닳고 닳아 몇 십 켤레가 바뀌는 동안 단 한 번도 후회한 적 없던 간호사의 길. 그런 그녀에게 새로운 운명이 휘몰아치던 때가 있었으니 1990년대가 막 펼쳐지던 그 해이다.

그 운명의 소용돌이는 그녀의 부지런함에서 비롯되었다. 하루 3교대 야간근무에 지칠 대로 지친 삶이었을 텐데 그녀는 그 남는 시간을 그냥 보내고 싶지 않았다. 사실 난 부지런한 사람을 별로 좋아하지 않는다. 특히 약속시간보다 기본 30분을 일찍 나오는 그녀가 못마땅하다. 늘 지각 인생인 내게 그녀가 먼저 나와 기다린 시간만큼 게으름이 덧붙여지기 때문이다. 장날 버스 기다리는 시골할머니들처럼 바지런하다 못해 미련할 정도로 융통성이 없는 그녀가 사고를 친 것이다. 공부를 하고 싶었던 것이다. 물론 자기 업무와 관련된 공부는 끊임없이 하고 있었지만 다른 공부가 해보고 싶었다. 많은 시간을 낼 수는 없지만 내가 모르는 분야에 대해 아는 것, 그 즐거움을 누구보다도 잘 아는 그녀는 덥석 국문학을 배워보리라 마음먹는다. 그곳에서 지금까지 읽었던 전공서와 다른 학문을 접하게 되고 오래 전 몸속에 흐르던 간호사의 피 말고 또 다른 무엇이 흐르고 있었다는 걸 깨닫게 된 것이다. 더구나 졸업논문으로 쓴 〈춘향전에 나타난 우리 말 연구〉에서 그녀는 '언어가 이토록 아름다울 줄이야.' 하며 첫사랑을 앓는 소녀처럼 두근거리는 가슴을 누를 길 없어 거리로 뛰쳐나온다. 그 방황의 거리에서 그녀의 길음은 '종로서적'으로 향했고 많고 많은 책 중에서도 하필 동시집 코너에서 발길을 멈춘 것이다.

그렇다. 첫눈에 끌린다는 것, 첫사랑은 그렇다. 예고 없이 찾아와 한순간에 정신을 훅 가게 만드는 것, 그 마음이 한쪽으로 쏠려 다른 어디도 보이지 않고 오로지 그쪽으로 향하는 것, 정신을 차리려고 해도 그냥 빠져 허우적거릴지언정 나오고 싶지 않은 곳, 그 속에서 죽어도 좋을 만큼 아득히 가라앉고 싶은 곳. 그녀에게 동시집이 그랬고 동시가 그랬다.

암 병동에서 내일도 없이 사라져가는 환자들과 함께 울며 지칠 만도 했다. 신음소리와 주삿바늘을 보며 다른 세상이 그리울 만도 했다. 그래서 눈 돌린 세상이 동시의 세상이었고, 누군가를 늘 위로해주던 그녀에게 처음으로 그녀를 위로해 주는 동시가 있었다. 동시는 그간의 아픔을 한순간에 덮어주는 신과도 같았다.

짝사랑은 혹독했다. 동시가 무엇인지도 몰랐고 어떻게 써야하는지도 몰랐다. 오로지 동시에 대한 사랑만 있었을 뿐이었다. 그 사랑은 일방적이었고 외로웠다. 천성이 부지런한 그녀는 무조건 쓰고 또 썼다. 천성이 우직한 그녀는 쉽게 흔들리지도 않았다. 그런데 시가 쌓일수록 밤을 새워 시에 빠지고 시만 생각하고 시와 뒹굴수록 점점 멀어지기만 하는 시를 잡고 싶었다. 방법을 몰랐다. 사랑도 테크닉이다. 처음 하는 사랑이니 서툴고 어눌했다. 동시를 사랑하면 할수록 동시에 대해 아무 것도 모르는 자신이 한심스러워졌다. 첫사랑의 설렘과 첫사랑의 두근거림은 좌절로 바뀌었다.

그러나 미친 사랑은 무모하다. 알몸 같은 시를 고교 국어 선생님인 이운룡선생님께 보내며 스스로 깨지고 넘어지고 부딪치며 단단해지기로 마음먹는다. 선생님과의 소통으로 다시 가슴이 뜨거워지고 이제 병실 복도를 또각또각 걸어가는 목발도 예사롭게 보이지 않았다. 병원 앞 화단에서 쪼그리고 앉아 개미에게 말을 걸기도 하고, 창 너머 온 햇살을 손으로 만지며 인사를 나누고 떨어지는 나뭇잎을 위해 기도 같은 시도 썼다. 간호사였을 때는 한 번도 느끼지 못한 이 엉뚱한 설렘, 살아가는 하루하루가 빛나는 나날의 연속처럼 행복했고 드디어 1999년 《자유문학》에서 그토록 원하던 '예쁜

이름표 하나'를 달게 되었다. 외로웠던 짝사랑에 동시가 눈
길을 준 것이다.

예쁜 이름표 하나

해마다
꼭 그 자리에

약속처럼
꽃 하나 피어

실바람에도
온몸 뒤척여요.

'나도 남들처럼
탐스런 이름 하나 갖고 싶다.'

하느님, 나에게도
눈 감으면 딱 떠오르는
예쁜 이름표 하나
달아주세요.

― 「풀꽃·7」 전문

동시인 한상순이 된 것이다. 그러나 마냥 기뻐할 일만은
아니다. '이름표 하나 달기는 오히려 쉬우나 이름을 지키기
에는 힘이 든다.'는 신현득 선생님의 말씀처럼 (한상순 시인의
첫 동시집 서문에서) 이름값을 해야 한다. 이름값을 하고 사는
일이 얼마나 힘든 일인가? 동시인이니 동시값을 해야 한다.
그녀의 첫 동시집『예쁜 이름표 하나』는 그냥 예쁘기만 했다.
그냥 아름답기만 했다. 그냥 착하기만 했다. 그래서 동시인
한상순스러울 뿐이었다. 그 무렵 그녀는 몰입은 사랑이 아니
라는 걸 깨닫는다. 멀리 있으면 숲은 보지만 나무는 볼 수 없
고 그 중심에 있으면 나무는 보지만 숲은 볼 수 없다. 그래서
택한 일이 남의 눈으로 내 작품을 보고 내 눈으로 남의 작품
을 보아 그것을 내 작품을 바로 잡는 타산지석으로 삼고 싶
었다. 바로 '층층나무' 동인이 탄생한 이유이기도 했다. 그들
또한 이제 막 애송이 사랑을 하고 있던 터라 동시를 객관적
으로 보기 힘든 처지의 동병상련이었다.

한 달에 한 번 모임이 있는 날, 그녀는 소풍가는 아이처럼
떨리고 긴장되어 써놓은 동시를 몇 번이고 읽으며 아침을 맞
이했다. 남보다 먼저 자리 잡고 앉아 동료를 기다리며 또 읽
었다. 처음, 종로서적에서 동시를 읽을 때처럼 가슴 뛰는 떨
림이었다.

사십이 훌쩍 넘은 그녀 나이였다. 사람에게서 이런 느낌
은 단언컨대 불가능했을 것이다. 그녀가 매력적이거나 오묘
한 끌림이 있는 캐릭터는 솔직히 아니라는 생각이다. 그러니

'두근두근 내 인생'을 선물해준 동시가 얼마나 고마운 일인가? 동료들의 합평은 긴장되지만 짜릿했다. 작품이 처절하게 깨질 때마다 밖에 나간 자식이 얻어맞고 오는 기분이었지만 조용히 자초지종을 묻는 엄마처럼 스스로의 시에 냉정을 찾았다. 간혹 의도를 알지 못해 다른 방향으로 짚어줄 때는 답답하기도 했지만 그렇다고 편을 드는 엄마처럼 제 시를 대변하지도 않았다. 귀가 얇아 남의 말을 호락호락 듣는 편은 아니지만 그렇다고 고집스럽게 우기지도 못하는 성격인 그녀는 전쟁터에서 돌아온 상이군인처럼 상처로 얼룩진 시를 밤새 어루만지며 같이 있어줄 뿐이었다.

그 때 태어난 시집이 『갖고 싶은 비밀번호』다. 예쁜 이름표를 달았을 때에는 아름다운 세상에 고마운 것들을 찾아다녔지만 이번 시집에서는 생활 속으로 깊숙이 뛰어들어 함께 부대끼는 모습을 보여주려고 노력했다. 첫 동시집을 낸 지 5년 만이니 변할 때도 되었다.

네 자리 숫자
꼭꼭 누르면

차르르
현금지급기가
돈 떨궈 주기로

우리 식구랑
약속한 거래.

(중략)

그런 거
나도 하나 있었으면
얼마나 좋아.

수학책 펴놓고
0319
비밀번호
쿡
누르면
답이 줄줄줄 나올 수 있게.

─「갖고 싶은 비밀번호」 중에서

그녀는 모범생이다. 학교 다닐 때 선생님께 말대꾸 한 번
한 적 없고 숙제를 깜빡하고 잊은 적도 없다. 고향 오수를 떠
나 전주에서 고등학교를 다닐 때 부모님은 초등학생 남동생
을 그녀에게 맡길 정도로 어른스러웠다. 같이 지내면서도 동
생 아침 밥 한 번 굶긴 적 없고 심지어는 재수생 친척 동생까
지 들러붙어 졸지에 두 아이의 보호자가 되었지만 투덜거릴

줄도 몰랐다. 그런 그녀가 수학문제 풀기 싫어 잔머리 굴리는 아이들의 마음을 들여다보기 시작했다. 이렇게 큰 변화를 거듭했지만 두 번째 시집도 한상순스러웠다는 평가다. 한상순스럽다는 것이 나쁘다는 말이 아닌 것을 알면서도 그 말이 싫었다. '따뜻한 마음이 찾아낸 사랑의 세계'(문삼석 선생님의 해설 제목), 따뜻함도 지겹고 사랑도 진부하게 느껴졌다.

'내 시는 왜 늘 그럴까?'

예쁘다는 말을 하기 힘들 때 귀엽다는 말을 하듯 따뜻함이나 사랑스럽다는 말이 인사치레처럼 들렸다. 개성이 없고 신선하지 않다는 말을 돌려하는 것만 같았다.

시와 사랑에 빠진지 십년이 넘었다. 이제 지겨워질 때도 되었다. 동시를 쓰는 그녀도, 그녀가 쓴 동시도 서로서로 지쳐갔다. 이대로 있다가 어쩌면 결별을 선언할 때가 올지도 모른다는 불안감, 그녀는 새로운 탈출구를 찾았다. 그 탈출구 끝에는 권태기를 지나 '이제는 돌아와 내 누님같이 생긴 꽃'처럼 해탈의 경지에 있는 문학의 고수들이 있었다. '계몽문학회'에서 마음의 스승으로 삼았던 선배들을 통해 문학의 길이 순탄치 않음을 알았고 그 옛날 동시인이라는 이름을 지키며 사는 일이 힘든 일임을 예견했던 스승의 말도 떠올랐다.

시가 변하기 전에 나 스스로 변해야한다. 그녀는 '한상순스러움'에서 벗어나기로 마음먹었다. 있는 듯 없는 듯하던 그녀가 당당하게 그 모습을 드러내기 시작했다. 문학회 일에도 적극적으로 참여하고 다양한 교류를 통해 시의 변화를 모색했다. 짬짬이 동시 강연을 통해 아이들의 생생한 목소리에 귀를 기울이기도 했다. 무엇을 쓸 것인가에서 어떻게 쓸 것인가로 옮겨갔고 시가 될까?에서 왜 쓰는가?를 깊이 고민했으며 내가 좋아하는 시를 남도 좋아할까? 드디어 독자에 대한 배려를 하기 시작했다. 내 시집을 읽으며 몸을 비트는 친구가 있으면 얼마나 미안한 일인가. 읽기 싫은 시를 억지로 읽어야하는 고통을 주는 죄는 짓지 말아야지. 이런 고민에서 완성된 시집이 『뻥튀기는 속상해』이다.

이번엔 정말 그녀가 변했다. 변해도 너무 변했다.

사실 난,
고소하고 달콤한

입 안에서 살살 녹는
뻥튀기인데요

(중략)

왜 내이름을 갖다
아무 데나 쓰는 거죠?

−선냉님 그거 뻥이죠?
−민수 걔 뻥쟁이야.

-너, 그 말 뻥이지?
-야, 뻥치지 마.

정말
이래도 되는 겁니까?

　　　　　　　　　- 「뻥튀기는 속상해」 중 일부

　어디 가서 변변히 말 한 마디 못하는 그녀가 시에서 당당
하게 자기 목소리를 내기 시작했다. 종일 같이 있어도 남의
이야기 들어주며 고개 끄덕이던 그녀가 시 속에서 자신들의
억울함을 외치는 '개미들의 반상회'를 생중계하고, 친구 없이
왕따처럼 지내는 놀이터의 속상함을 (시 「친구 구함」) 대신 전
하기도 하며 사람보다 기계를 더 믿는 사람들 (시 「기계를 더 믿
어요」)을 꾸짖기도 한다. 더 나아가 내 이름은 용태 동생이 아
니라 '김용수'라고 당당하게 외치기까지 한다. 그녀 스스로도
이 시집에서 '동시인 한상순'의 이름을 찾았다고 생각한 것
이다.
　누구에게나 터닝 포인트는 있다. 간디에게서 마리츠버그
역이 그러하듯 한상순, 그녀에게서 『뻥튀기는 속상해』라는
시집은 지금까지 그녀가 보여줬던 시들과 다른 재미와 새로
움을 주는 시가 되었다. 이 시에서 '한상순스러움'은 '한상순
스럽지 않음'으로 바뀌게 되었다.

삑 삑 삑 삑!

그녀가 돌아온다. 회의가 끝난 모양이다.

"많이 기다렸지? 으이구 회의가 어찌나 긴 지."

그녀의 손에는 피난민 보퉁이처럼 가방이 들려져 있고 그 가방에서 삐죽 나온 서류뭉치들.

30년 넘게 한 간호사 생활이다. 간호팀장으로서 수간호사를 관리하고 직원들의 고충을 들어주고 업무결제와 감사자료를 준비하는 그런 위치에 있다. 그녀에게 주어진 업무 공간이 따로 있어 가끔 나 같은 불청객이 찾아오면 감미로운 노래 CD를 들려 주고 차를 내오는 여유도 있다. 주사를 놓으며 환자들과 마음을 나누는 시절도 지났고 실수하면 어쩌나 가슴 조이던 그 시절도 아득하다. 눈 감고도 혈관을 찾고 표정만 봐도 뭘 원하는지 다 아는 더 새로울 것도 없는 그런 자리에서 그녀는 동시를 생각한다. 동시는 여전히 그녀의 첫사랑이었으며 아직도 두근두근 심장을 뛰게 하는 설렘이다.

"아이고, 하루 종일 병원 일 처리하느라 정신이 하나도 없어. 근데 나 동시 안 썼으면 어쩔 뻔 했니?"

"요즘 뭐 써?"

"텃새 이야기, 곧 동시집으로 나올 거야. 지난번에 준『병원에 온 비둘기』는 읽었지?"

"응. 그 비둘기 쟤야?"

때마침 창틀로 비둘기 한 마리가 날아든다. 그녀는 웃으며 비둘기에게 눈인사를 한다.

그리고는 의자에 털썩 앉아 길게 숨을 몰아쉰다. 2시가 훌쩍 넘었는데도 아직 점심 전인 그녀, 입에서 단내가 난다.

정신없이 이리저리 뛰어다니는 그녀, 그 정신없음을 견디게 하는 힘이 그녀에겐 동시다.

한상순, 한상순. 꼭 그 이름만큼 순정파인 그녀, 아마 동시와 백년해로 할 거다.

—《시와 동화》, 2015, 봄.

꽃씨의 멀리뛰기

한낮,

해님이 눈을 크게 뜨고
뜨거운 입김 훅—

살짝 바람이 딛는 순간,

오롱조롱 매달려 있던
봉숭아 꽃씨 형제들
톡
토독

나는 장독대
너는 우물가……

누가 더 멀리 뛰나

내기 한 거야.

지금은 모르지
내년 이맘 때
꽃 피면
알지.

소문

온천 개발로
집값 오른다는
우리 동네

마을 앞 느티나무도
그 소문 들었나 봐요.

그 새
까치집을
세 채나 들여 놓았어요.

부끄럼타는 별

밤하늘 보며
소원을 빌겠다고
별이
똥 누길 기다린다.

한 시간
두 시간
기다려도 기다려도
별똥 구경 못하겠다.

그래, 그렇겠지
별도 누가 볼 때
똥 누는 건 부끄럽겠지.

우리 잠자러 가면
그 때
맘 놓고 보려는 거지.

1958년 전북 임실군에서 태어남. 동짓달 열이틀, 양력으로는 12월 22일 동짓날에 동지팥죽 새알심을 만들다가 나를 낳았다고 함. 정확한 시간은 모르고 낳고나니 새벽 통학기차 기적이 울렸다하여 중학교 다닐 때까지 그 기적소리를 들으면 가슴이 두근거림.

1964년 한글도 못 깨쳤는데 어머니의 치맛바람으로 충견 '오수의 개'로 유명한 '오수 초등학교'에 입학함. 산 길 3킬로 정도를 걸어서 다녔는데 너무 어린데다 말라깽이어서 바람이 세게 불면 날아가 논바닥에 빠지곤 하여 상급생 언니들이 번갈아 가며 업고 다님. 마을 입구에서 아버지가 받아 업고가곤 하셨는데 아직도 아버지 등의 따스함을 잊지 못함. 1학년이 끝나고 겨울방학을 했는데도 한글을 깨치지 못해 부모님이 싸움. 취학통지서도 안 나왔는데 어린애를 입학시켰다며 아버지가 교과서를 아궁이에 넣어 태워버림. 어머니가 눈물바람을 하며 이웃 동네로 책을 구하러 다니던 모습이 또렷하게 기억 남.

1972년 중학교 3학년 때 학교 대표로 삼남지방 백일장에 나가 최고상인 특선(산문)을 하여 친구들에게 '글 잘 쓰는 아이'로 각인됨.

1973년 집을 떠나 초등학생인 남동생을 데리고 전주에서 자취를 하며 성심여고를 다님. 가톨릭 학교의 영향으로 고2 때 영세를 받고 천주교 신자가 됨. 3년 동안 문예부 활동을 하며 교지 만듦.

1977년 어릴 적 꿈인 '선생님' 외에는 다른 것은 생각해보지도 않음. 대학에 실패하고 재수를 했으나 결과는 마찬가지여서 《진학》이라는 대학 정보 책을 뒤적이다 무작정 상경하여 간호대학에 지원함. 간호학이 정말 나하고는 맞지 않아(학교에서 임상실습 시 동료들과 서로 엉덩이에 근육주사를 놓는데 눈물이 앞을 가려 놓지 못하자 교수님이 달려 와 내 손을 붙들고 강제로 주사를 놓게 함. 그리고 하시는 말씀 "네가 간호사가 되면 내 손에 장을 지진다") 1학년 내내 다시 입시 공부를 함. 그러다 포기하고 학교생활에 적응하고자 학도호국단 문예부장을 맡아 시화전을 하고 학교신문, 교지 등을 내고 경희대 국문과 학생들과 문학동아리를 만들어 활동함. 그제서야 신나게 학교생활을 함.

1980년 간호대학을 졸업하고 소록도 나병환자 병원에 취업하고자 응시했으나 연결이 잘 안 되어 가지 못함.(그 때 인연이 되었으면 마리안, 마가리트를 만나 함께 근무했을테고 작가의 길을 더 빨리 걷지 않았을까?) 몸이 아픈 이들을 간호할 수 없다면 마음에 병이 있는 환자를 돌보겠다는 의지를 굳히고 학교 추천을 받아 청량리 정신병원에 취직함. 9개월 정도 근무하다 가톨릭의대 부속 성가병원으로 전원 함.

1982년 현재 근무하고 있는 경희의료원으로 전원 함.(3년 동안 3군데 직장을 옮긴 걸 보면 그 때부터 역마살이 있었던 듯, 지금도 여기저기 싸돌아다녀야 살맛이 남.)

1986년 결혼하여 88년, 93년에 두 딸을 낳음.

1992년 원래 전공하고자 했던 국문학을 방송통신대학교에서 이수하여 문학사 취득함. 이때 국문학 공부가 얼마나 재밌었는지 병원 휴가를 모두 시험기간으로 맞춰하고 교재를 달달 외워 시험문제가 나오면 몇 페이지 어디쯤인지가 훤히 떠오를 정도였음. 그 결과 이수기간 내내 장학금을 받음. 이 시기에 종로서적에서 동시를 처음 만나 홀딱 빠짐. 대학원을 마치면 동시를 쓰리라고 다짐함. 이때부터 '나는 마흔이 되면 동시를 쓸 거다'라고 얘기하고 다님.

1996년 경희대학교에서 '우리나라 병원의 경쟁력 제고 전략에 관한 연구'로 행정학석사 취득함. 혼자서 동시를 썼는데 이것이 시인지 동시인지 구별이 안감.

1999년 여고시절 시인 은사님께 동시를 우편 지도 받은 후《자유문학》 신인상에 응모하여 당선됨. 이 때 심사위원으로 맺은 인연으로 아직까지 신현득 선생님의 가르침을 받고 있음. 첫 동시집『예쁜 이름표 하나』(아동문예)를 출간. '한국 시 사랑회' 어린이 좋은 동시집 선정.

2004년 동시집『갖고 싶은 비밀번호』(아동문예) 출간. 한국동시문학회 '올해의 좋은 동시집' 선정.

2007년 '뻥튀기는 속상해' 외 49편으로 대산창작기금 수혜.

2008년 '너 참, 겁도 없다' 외 5편으로 황금펜 아동문학상 수상.

2009년 동시집『뻥튀기는 속상해』(푸른책들) 출간. 한국동시문학회 '올해의 좋은 동시집' 선정 및 우리나라 좋은 동시 문학상 수상. 한국 도서관협회 사서 추천 동시집 선정.

2010년 초등학교 4-2 국어책에 동시「좀좀좀좀」수록.

2014년 동시집『병원에 온 비둘기』(푸른사상) 출간. 한국동시문학회 '올해의 좋은 동시집' 선정. 초등학교 3-2 국어책에 동시「좀좀좀좀」재수록.

2015년 「딱따구리 학교」외 15편으로 아르코창작기금 수혜. 동시집『창문하나 달고 싶다』(섬아이, 공저) 출간.

2016년 인성 동시집『누구 고집이 더 센지』(크레용하우스, 공저) 출간. 동시집『우리 절기』(섬아이, 공저) 출간. 동시집『딱따구리 학교』(크레용하우스) 출간. 한국아동문학상 수상.

2017년 옛이야기 그림책 『호랑이를 물리친 재투성이 재덕이』 출간.
한우리선정도서 선정.
동시집 『우리 꽃 우리 나무』(섬아이, 공저) 출간.
동시집 『우리 풀 우리 꽃』(섬아이, 공저) 출간.

2018년 「세상에서 제일 큰 키」 외 15편으로 서울문화재단 창작기금
수혜.
동시집 『오늘은 어떤 놀이 할까』(크레용하우스, 공저) 출간.

2019년 초등학교 5-2 국어책에 동시 「기계를 더 믿어요」 수록.
동시집 『똑똑, 마음입니다』(뜨인돌어린이, 공저) 출간.

2020년 그림책 매력에 푹 빠져 첫 창작그림책 『오리가족 이사하는
날』(아이엔북) 출간.
동시집 『세상에서 제일 큰 키』(도서출판 걸음) 출간.
안전 동시집 『걱정이다 걱정』(뜨인돌어린이, 공저) 출간.
여행에세이 『비스따리 비스따리』(책담, 공저) 출간.
동시집 『사랑이 다닥다닥』(뜨인돌어린이, 공저) 출간.
『세상에서 제일 큰 키』로 제14회 서덕출문학상 수상.
현재 간호사 근무 41년을 끝으로 정년을 준비하면서 간호사
시인으로 의미 있는 마무리를 하고자 병원이야기를 동시로
엮은 동시집 『병원에선 간호사가 엄마래』(푸른책들) 출간.

그리고, 행복한 작가가 되었습니다

초판 1쇄 인쇄 ┃ 2021년 1월 20일
초판 1쇄 발행 ┃ 2021년 1월 30일
지은이 ┃ 박혜선
펴낸이 ┃ 김경우
펴낸곳 ┃ 도서출판 걸음
출판등록 ┃ 2019년 12월 10일 제2019-000090호
주소 ┃ (04409) 서울 용산구 한남동 578-31 낙원하이츠빌라 202호
전화 ┃ 02-794-7703
팩시밀리 ┃ 02-2179-7925
이메일 ┃ maguh@naver.com

ISBN 979-11-969124-8-2 03810